1 MONTH OF
FREE
READING

at
www.ForgottenBooks.com

By purchasing this book you are eligible for one month membership to ForgottenBooks.com, giving you unlimited access to our entire collection of over 1,000,000 titles via our web site and mobile apps.

To claim your free month visit:
www.forgottenbooks.com/free348128

ISBN 978-0-428-26206-8
PIBN 10348128

Neue Beiträge

zur

Kaiserschnittsfrage.

Von

Dr. M. Sänger,

Privatdocent in Leipzig.

Separat-Abdruck aus dem „Archiv für Gynäkologie", Band XXVI, Heft 2.

Mit 13 Holzschnitten und 1 Curventafel.

Leipzig.

Druck von A. Th. Engelhardt.

1885.

I.

Als ich vor drei Jahren in verschiedenen Schriften[1]) eine
Reihe von Vorschlägen zur Verbesserung des Kaiserschnittes er-
gehen liess, war es mein hauptsächliches Bestreben darzuthun,
dass und wie die Gefahren, welche der hergebrachten Ausführung
der Operation anhafteten und sie discreditirten, zu beseitigen
seien. Mit Ausnahme Weniger, welche Gelegenheit nahmen, ihre
diesbezügliche Meinung zu äussern und sich in gleichem hoff-
nungsvollem Sinne auszusprechen, ohne jedoch selbst positive und
neue Vorschläge zu machen (Schröder, v. Hecker, Halbertsma, R. Harris), mit Ausnahme Weniger, welche mit solchen hervortraten (Cohnstein, Frank, Schlemmer, Kehrer), bekannte sich damals die absolute Mehrzahl der Fachgenossen aller Länder zur Amputation des Uterus und der Ovarien
nach vollzogenem Kaiserschnitte, zur Operation Porro's. Die

---

1) Der Kaiserschnitt bei Uterusfibromen, nebst vergleichender Methodik
der Sectio caesarea und der Porro-Operation. Kritiken, Studien und Vorschläge zur Verbesserung des Kaiserschnittes. Leipzig 1882, W. Engelmann.

— Zur Rehabilitirung des klassischen Kaiserschnittes. Nebst einem An-
hange: Nachträge zur Geschichte der Uterusnaht beim Kaiserschnitte. Dieses
Archiv, Bd. XIX, S. 370.

— Ueber die Verbesserungsfähigkeit des klassischen Kaiserschnittes, besonders in Hinsicht auf Primärheilung der Uteruswunde und Regeneration des
puerperalen Uterus. Vortrag auf der Naturforscherversammlung in Eisenach.
Siehe dieses Archiv, Bd. XX, S. 296.

— Siehe auch die Discussion über P. Müller's Vortrag auf dem internationalen medicinischen Congresse in Kopenhagen. Bericht in diesem Archiv,
Bd. XXIV, S. 289.

merkwürdige Schnelligkeit, mit welcher diese Operation, wie
Schauta [1]) mit Recht hervorhebt, besonders durch das Eingreifen
der Wiener Schule, von Spaeth und Carl v. Braun, zu so
fast einhelliger Aufnahme kam, begreift sich, wenn man die trost-
losen Resultate berücksichtigt, welche die alte Sectio caesarea bis
dahin aufzuweisen hatte. Wir sehen hier nur in der Hand einzelner Operateure (Winckel d. Aelt., Metz, Höbecke, Mi-
chaelis, Maslieurat-Laguémard, Decoene, Stoltz, Ki-
lian) günstige Erfolge, welche noch erstaunlicher erscheinen,
wenn man die fast ausnahmslos tödtlich endenden Fälle von grossen Entbindungsanstalten (Wien, Prag, Paris, Amsterdam),
von der Gesammtheit der Aerzte einzelner Länder und Districte
(Italien, Württemberg, Kurhessen, Nassau, Däne-
mark-Norwegen [2])) dagegen hält. Dabei müssen wir jetzt durch
einen englischen Arzt, Rob. W. Felkin [3]), erfahren, dass ein
central-afrikanisches Negervolk, die Waganda, ohne dass eine
Vermittelung seitens der Araber oder Europäer nachweisbar wäre,
den Kaiserschnitt an der Lebenden kennen und nicht schlechter
üben, als es bis in die Neuzeit bei uns geschah. — In der That
bedeutete die Porro-Operation trotz ihres heroischen, die Ge-
bärorgane opfernden Radicalismus einen mächtigen Aufschwung,
weil sie mit einem Schlage die beiden Hauptgefahren des alten
Kaiserschnittes, Blutung und Peritonitis, auszumerzen verhiess.
Die Porro-Operation hatte auch im besten Sinne etwas „Re-
volutionäres‟ an sich, insofern sie bahnbrechend wirkte und zu

---

1) Grundriss der operativen Geburtshülfe. Vorrede. 1885.

2) Ich gebe die Resultate dieser beiden Länder, weil weniger bekannt,
nach Stadfeld, Födslen ved Bækkenets Svulster, Festskrift etc. Kopenhagen
1879. Es starben von 21 Fällen 20 Mütter = 95 Proc. und zwölf Kinder
wurden todtgeboren.

Das einzige Land, welches etwas günstigere Zahlen aufweist, ist Nord-
Amerika. Die gewissenhaften, mühsam gewonnenen Angaben von R. Harris
in Zweifel zu ziehen, ist kein Anlass vorhanden.

3) Notes on labour in central Africa, Edinburgh med. Journal. April 1884.
Die Ausführung ist kurz folgende: Verabreichung eines narcotischen
Trankes, Haut- und Uterusschnitt zugleich. Blutende Stellen der Bauchwand
mit Glüheisen gebrannt. Entwickelung des Kindes. Manuelle Entfernung der
Placenta. Dilatation des Collum von innen her. „Stürzen‟ der Frau zur
Entfernung von Flüssigkeit in der Bauchhöhle nach Bedeckung der Bauch-
wunde mit einer aufsaugenden Matte. Schluss der Bauchwunde durch um-
schlungene Nähte, nach Art der Hasenscharlennaht. Pasta auf die Wunde.
Felkin sah Heilung in elf Tagen erfolgen.

Erneuerungen, Verbesserungen auf dem Gebiete des Kaiserschnittes überhaupt erst den rechten Anstoss gab. Die Porro-Operation, selbst erst eine Frucht der Fortschritte der Unterleibschirurgie, stellt, wie so oft, das eine Extrem einer neuen Epoche dar, über welches der Weg zu dem anderen führt und erst noch abgesteckt werden muss. So war, um ein Beispiel zu brauchen, die prophylaktische Ausspülung und Drainage des puerperalen Uterus das eine Extrem der jetzigen Epoche geburtshülflicher Antiseptik, welche nunmehr bei dem anderen „antiseptischer Oligopragmasie" angelangt ist. Diese Gegensätzlichkeit, in welcher sich die Technik des Kaiserschnittes heute bewegt, findet ihren Ausdruck in den Bezeichnungen „radikale und conservative Methode des Kaiserschnittes", eine glückliche Charakterisirung P. Müller's[1]), welcher damit selbst die von ihm früher gebrauchte und freilich sehr zu beanstandende Bezeichnung „moderner Kaiserschnitt"[2]), worunter er eben nur die Porro-Operation verstanden wissen wollte, wieder aufhob.

Der „alte Kaiserschnitt" hatte allerdings, wie sich bald ergab, nicht die Fähigkeit verloren, sich vollkommen zu modernisiren.

Für die Porro-Operation ist der Kaiserschnitt gleichbedeutend mit Uterusamputation, während er bislang lediglich die geburtshülfliche Laparo-Hysterotomie zum blossen Zwecke der Entbindung darstellte und darstellen soll. Dass die radikale Methode Porro's als allgemeine Kaiserschnittoperation weit über dieses Ziel hinausgeht, sehen jetzt auch ihre unbedingten Anhänger ein, aber sie glauben von ihr noch nicht abgehen zu können, da keine verlässliche conservative Methode zum Ersatz vorhanden sei. Eine solche Methode, der ich auch nicht anstehe, das Prädicat der Verlässlichkeit beizulegen, habe ich selbst, wie bekannt, angegeben und begründet; aber, obwohl sie theoretisch von Niemandem angefochten wurde, ist sie praktisch an der Lebenden, ausser von mir selbst, bisher nur von Wenigen angewandt worden. Ich kann durchaus nicht klagen, dass man meinen Vorschlägen kein Vertrauen entgegengebracht habe: P. Müller, Breisky forderten sogar zu einem Wettstreite

---

1) Der Kaiserschnitt und seine Modificationen. Vortrag auf dem internationalen medicinischen Congresse in Kopenhagen. Siehe Sänger's Bericht in diesem Archiv, Bd. XXIV, Heft 2.

2) Der moderne Kaiserschnitt, seine Berechtigung und seine Stellung unter den geburtshülflichen Operationen. Berlin 1882, A. Hirschwald.

1*

meiner Methode mit der Porro-Operation auf, aber sie wollen nicht selbst den Anfang machen, sie wollen, ebenso wie Litz|mann, A. Simpson, Schauta, Kabierske jun., W. Fischel u. A., erst weitere Resultate Anderer abwarten. Fehling[1] liess sich wenigstens dazu herbei in einem Falle von Sectio caesarea in moribunda nach meinen Principien zu operiren: die Uteruswunde zeigte sich bei der Autopsie — der Tod war 14 Stunden nach der Operation erfolgt — völlig geschlossen. Er gesteht auch zu, dass meine Methode genügt, um „eine sichere Vereinigung zu erzielen", aber er redet noch immer der Porro-Operation in weitester Ausdehnung das Wort. Da ich, um anzuführen, wann er meine Methode für angezeigt hält, hier schon die Indicationenfrage berühren müsste, so will ich nur nochmals betonen, wie ich es stets gethan habe, dass ich die Porro-Operation nur als allgemeine, ausschliessliche Kaiserschnittoperation bekämpfe, sie aber für bestimmte Indicationen ebenso fordere, wie nur Einer ihrer wärmsten Anhänger. Es wird sich auch schliesslich nur um eine Theilung der Kaiserschnittfälle unter die radikalen und conservativen Methoden drehen, und spreche ich in der Mehrzahl, weil sich auch noch die totale Uterusexstirpation und die Gastro-Elytrotomie an der Concurrenz betheiligen. Der Porro-Operation muss nur ihre dominirende Stellung genommen werden. In diesem Unterfangen fand ich jetzt Unterstützung von einer Seite, woher ich es am wenigsten erwartet hätte. Ein Landsmann Porro's, Mangiagalli[2], der selbst mehrmals mit Glück die Oophoro-Hysterectomia caesarea ausgeführt hat, vermochte sich über das Nationale, welches die Operation für die Italiener an sich hat, soweit zu erheben, dass er in genauer Kenntniss meiner Schriften meine Methode in Parallele zu derjenigen Porro's brachte und sie als die einzige bezeichnete, welche dieser das Feld streitig machen könne und werde.

Es geziemt sich, dass ich Prof. Mangiagalli für die Vertretung des conservativen Kaiserschnittes unter seinen für die

---

1) Verhandlungen der gynäkologischen Section der Naturforscherversammlung in Magdeburg, dieses Archiv, Bd. XXV, .H 1 und Ueber neuere Kaiserschnittmethoden, Volkmann's Sammlung klinischer Vorträge Nr. 248.

2) Le più recenti modificazioni del taglio cesareo, studio storico-critico etc. Milano 1884, Pietro Agnelli. Gesammelt nach einzelnen Aufsätzen in den Annali di Ostetricia etc. Anno V e VI. 1883—1884.

Porro-Operation begreiflich ganz besonders eingenommenen Landsleuten — von 152 Fällen der bekannten Listen von Clement
Godson[1]) kommen 60 auf Italien — meinen Dank sage. Um
zu zeigen, dass ich dazu allen Grund habe, will ich die Stelle
aus seinem Buche hierhersetzen, welche über meine Methode
wärmer urtheilt, als dies von Seiten irgend eines deutschen Fachgenossen geschehen ist: „il processo di Sänger è quindi per me
il più scientifico, il più metodico, il più sicuro, quello che deve
avere la prevalenza su tutti gli altri accennati sinora in questo
capitolo[2]), poichè con questi ha communi molti vantaggi mentre
non possiede molti degli inconvenienti per essi lamentati ed ha
poi in proprio il grande vantaggio di essere un metodo generale,
di non avere contraindicazioni tecniche, di essere eseguibile cioè
in tutti i casi."

Freilich ist es auch in Italien vorläufig nur bei einer theoretischen Anerkennung geblieben, obwohl Porro selbst seine Operation einschränkte, und wie ich nach Mangiagalli zeigen
werde, mehr Mässigung beweist, als viele seiner Anhänger (siehe
S. 11).

In Frankreich unternahm es Porak[3]) aus meinen Schriften, aus den Veröffentlichungen von Kehrer, Leopold, Beumer seinen Landsleuten den Weg zu positiven Verbesserungen
der Kaiserschnittstechnik zu zeigen: er ist von der Möglichkeit
einer sicheren Schliessung und Primärheilung der Uteruswunde
bei Einhaltung der von uns entwickelten Principien überzeugt und
räth zu Versuchen. Leider bin ich genöthigt, berechtigte Klage
zu führen über die plagiatorische Art und Weise seiner Darstellung. Der französische Leser ahnt nicht, dass Porak's schein-
bare Originalabhandlung zum weitaus grössten Theile nichts ist,
als eine gedrängte Uebersetzung der wichtigsten Abschnitte meines Buches über Kaiserschnitt, welches er nur ganz beiläufig erwähnt: die Geschichte der Uterusnaht, die Kapitel über Heilung

---

1) Porro's operation. Introduction to a Discussion in the Section of
obstetric medicine, reprinted from the Brit. med. Journ. Jan. 26th 1884 und
Porro's operation: A supplement. Brit. med. Journ. Jan. 17th 1885.

2) Die Verfahren von Cohnstein, Frank, Kehrer, welche ich, da
meine Ansichten über dieselben gegen früher keine Wandlungen erfahren haben, auch nicht weiter erwähnen werde.

3) Des Sutures de l'Utérus pendant l'opération césarienne, Gaz. hébdom.
de méd. et de chir. 1884, Nr. 25, 26, 29.

der Uteruswunde, über Schnittanlegung, über Nahtmaterial (mit Tabellen), über Drainage u. s. w., reichlich vier Fünftel des ganzen Aufsatzes, sind reine, nur abgekürzte Uebersetzung, die wenigen eigenen Zuthaten sind ganz belanglos. Dass der Leser glaubt eine Originalarbeit vor sich zu haben, geht auch daraus hervor, dass Porak's Compilation im American journal of med. Sciences, Oct. 1884, S. 601, unter dem Titel „Sutures of the Uterus in Caesarean section" ausführlich referirt wird, ohne dass auch nur mein Name.genannt wird. Da es auch in der Wissenschaft einen „Schutz der nationalen Arbeit" geben muss, wird mir es gewiss Niemand verübeln, wenn ich ihn mir wahre.

Unter den Hauptländern englischer Zunge, Grossbritannien und Nord-Amerika, herrschen jetzt bei der Gleichheit in der Sprache der wissenschaftlichen Publicationen auffallende Gegensätze. In England fand die Porro-Operation verhältnissmässig spät Eingang, ist aber jetzt durch die Förderung von A. R. Simpson und Clement Godson in steigender Verbreitung (elf Fälle). Auch die Gastro-Elytrotomie fand einige Vertreter. Dagegen geschah und geschieht für Einführung von Verbesserungen des conservativen Kaiserschnittes gar nichts von irgend welcher Bedeutung.

. In Nord-Amerika absorbirte die Gastro-Elytrotomie, welche als „Thomas-Operation" ungefähr zu gleicher Zeit.auftrat wie die Porro-Operation, fast gleiches Interesse wie letztere: der conservative Kaiserschnitt wurde aber, Dank namentlich den ausgezeichneten kritisch-statistischen Arbeiten von R. P. Harris, nie von der wissenschaftlichen Tagesordnung abgesetzt. Einige der wichtigsten Neuerungen der Technik der Uterusnaht sind, wie ich gezeigt habe, von dort ausgegangen: die Verwendung von Silberdraht als Nahtmaterial, die Anlegung zahlreicherer Suturen. In diese guten Traditionen lenkt ein Autor ein, der bisher mehr der Einbürgerung der Gastro-Elytrotomie seine Feder geliehen hatte, Garrigues.[1] Seine Argumentationen gegen die allgemeine Anwendung der Porro-Operation schliessen sich ganz an die meinigen an und fordert auch er häufigere Anwendung des verbesserten Kaiserschnittes: „Since the caesarean Section is conservative in principle, and may be improved in many ways, as proposed by different writers and operators, it is certainly not

---

1) The improved cesarean section, containing the description of a kyphotic pelvis. The American journ. of obstetr. etc. April, May, June 1883.

only justifiable, but wise to try how it will work in its new shape." Garrigues machte in einem Falle, wo er sich scheute, die Gastro-Elytrotomie auszuführen, weil die schwerkranke Kreissende zu schwach gewesen sei, um die mit jener verbundene Wundeiterung auszuhalten, den Kaiserschnitt und bediente sich einer Naht-methode, welche der von mir angegebenen (ohne Resection) sehr nahe kommt.[1]) Die Uteruswunde wurde durch 24 Seidensuturen geschlossen, von denen die eine Hälfte durch die ganze Dicke der Uteruswand gelegt wurde, während die andere nur das Peri-toneum vereinigte. Die Frau starb nach 50 Stunden. Eigent-liche Todesursache Sepsis. Bei der Autopsie zeigte sich das Ge-webe des Uterus normal. „Die Suturen fanden sich noch ebenso wie sie eingelegt wurden, nur näher zusammen. Das Peritoneum und die äusseren zwei Drittel der Muscularis waren durch prima intentio verklebt, das innere Drittel zunächst der Decidua war nicht vereinigt. Das Peritoneum der Schnittlinie war in grosser Ausdehnung von einem feinen Lager neugebildeten Gewebes (?) bedeckt." Garrigues' Versicherung, dass er unabhängig von neueren Publicationen über Kaiserschnitt zu seinem Nahtverfahren gekommen sei, darf ich doch leise bezweifeln. In seinem Januar 1883 erschienenen Aufsatze über Gastro-Elytrotomie[2]) findet sich noch kein Wort über die Erwägungen, welche ihn an-geblich zu jenem Verfahren hingeleitet hätten. Hier ist fast nur von Gastro-Elytrotomie und Porro-Operation die Rede. Auch muss ich hervorheben, dass mein Buch im December 1881 abgeschlossen war und Frühjahr 1882 erschien, während Garri-gues seine Operation erst am 9. September 1882 ausführte. Er hat auch aus jenem in ausgiebiger, doch loyalerer Weise ge-schöpft, brauchte sich aber nicht die Mühe zu nehmen, erst selbst historische Studien zu machen, da er sogar die reiche und werth-volle amerikanische Kaiserschnittliteratur bereits von mir bearbeitet vorfand. In seine zusammenfassende Schilderung des Modus ope-randi hat er sämmtliche Hauptpunkte meines Programmes, sogar

---

1) Es handelte sich um ein lumbo-sacral-kyphotisches Becken, Caries der drei untersten Lendenwirbel und des Kreuzbeines, Synostose des linken Kreuz-Hüftbeingelenkes, alte Beckenabscesse, Contractur des linken Kniees, talipes equinus des linken Fusses, Scrofulose, Residuen von Pleuritis, Phthisis, Herzfehler, Ascites, katarrhalische Cystitis und Vaginitis, Intertrigo, Ante-partum-Blutung. Das Kind war vor der Operation abgestorben.

2) Additional remarks on Gastro-Elytrotomy, with special-reference to Porro's operation (!). American journ. of obst. etc. Januar 1883, p. 33.

die subperitoneale Resection, aufgenommen, doch ohne sich auf
Citate von Namen weiter einzulassen, so dass den amerikanischen
Collegen das Verfahren als Methode Garrigues' zu bezeichnen
nichts im Wege steht, als meine Verwahrung. Gleichviel, wir
dürfen von dorther noch am ehesten auf Bundesgenossenschaft
für Rehabilitirung des Kaiserschnittes rechnen, weil der Horror
vor diesem auch vordem angesichts besserer Resultate ein geringerer war und der richtige Weg nun wohl eingeschlagen wird,
weshalb günstige Resultate gewiss nicht ausbleiben werden.

Dass die in den Vereinigten Staaten künstlich erweckte
Gastro-Elytrotomie der Sectio caesarea das Terrain ernstlich
streitig machen könne, halte ich für ausgeschlossen. Wenn Garrigues sie vor die Sectio caesarea setzt, so thut er es vielleicht
nur, um sich den Rückzug zu decken. Es ist gewiss bezeichnend, dass in den letzten drei Jahren nur ein einziger, allerdings
glücklicher, Fall von Skene[1]) publicirt worden ist. Auch die
Gastro-Elytrotomie ist nur eine „Uebergangsoperation". Der
von mir früher geübten ablehnenden Kritik habe ich noch einen
Punkt anzufügen: das Missliche der langwierigen Eiterung aus
der klaffenden Bauch-Scheidenwunde, selbst wenn Blase und
Ureter nicht verletzt wurden. Mit der Porro-Operation, wobei
die Eiterung aus dem Stumpftrichter gleichfalls Wochen lang
dauern kann, vermochte die Gastro-Elytrotomie wohl zu concur-
riren, mit der verbesserten Sectio caesarea, deren Verlauf dem-
jenigen einer glatten Ovariotomie gleichen kann, niemals.

Wäre nun die Porro-Operation schon auf ein unbestrittenes
Gebiet bestimmter Indicationen eingeschränkt, so könnte man
sich nur freuen, dass im engeren Bereiche der deutschen Medicin, in Deutschland, Oesterreich, der Schweiz, die besten Resultate erzielt worden sind, die man überhaupt kennt. Trotzdem
die Mortalität der Porro-Operation sich mit beharrlicher Con-
stanz über 50 Proc. hält[2]), brachten C. v. Braun von zwölf
Fällen acht durch[3]), Breisky seine sämmtlichen fünf Fälle,

---

1) A succesfull case of laparo-elytrotomy, with remarks on the operation. Annals of surgery, p. 25—29, aus der „Medicinischen Bibliographie des
Centralblattes für die gerichtliche Medicin" 1885, Nr. 21.

2) Nach der I. und II. Liste Godson's zusammen 56,57 Proc. Mortalität.

3) Nach einer gelegentlichen mündlichen Mittheilung des Herrn Dr. Pritzl,

Fehling von fünf Fällen vier, Resultate, die für eine grössere Zahl von Fällen nur noch von Porro selbst, welcher gleichfalls von fünf Fällen vier genesen sah, erreicht werden. Beweisen diese schier unübertrefflichen Resultate aber etwas für die Zulässigkeit der Porro-Operation als allgemeine Kaiserschnitt-Operation? Mit nichten. Die Differenz der hohen Gesammtmortalität und der niedrigen Mortalität genannter ausgezeichneter Operateure lässt sich einfach dahin interpretiren, dass die erstere bedingt ist durch mangelhafte Technik seitens einzelner Operateure und durch solche Fälle, welche auch durch das grösste technische Geschick nicht zu retten waren, während die letztere, die niedrigere Mortalität, erzielt wurde nicht durch die Ueberlegenheit der Porro-Operation, sondern durch Zusammenwirken der günstigsten Umstände: frühzeitige Operation ohne vorausgeschickte andere Entbindungsversuche, daher auch ohne Infection der Kreissenden, seitens auf die Operation eingeübter, mit ihren neuesten Verbesserungen vertrauter Antiseptiker, in wohl eingerichteten Kliniken, bei geschulter Assistenz! Ich stehe aber nicht an, zu behaupten — und das ist es, worauf ich mit meinem nur beiläufigen statistischen Excurs hinaus will —, dass diese günstigen Umstände ganz ebenso auch dem conservativen Kaiserschnitte zu Gute kommen würden. Leopold hat von 5 nach meiner Methode (in verschiedener Variation der Ausführung) Operirten gleichfalls 4 durchgebracht, die 5. kam inficirt zur Operation. Wenn in der vorantiseptischen Zeit einzelne, ausgezeichnete, geübte und — man muss für damals hinzufügen — vom Glück begünstigte Operateure mit dem alten „Rasirmesser-Kaiserschnitt" Resultate erzielten, die denen doch gleichfalls nur vereinzelter Porro-Operateure der Jetztzeit nichts nachgeben, um wie viel mehr muss dies gegenwärtig mit einem fortgeschrittenen Kaiserschnittverfahren der Fall sein können, wo wir der ungeheueren Vortheile der Antisepsis theilhaftig sind und Verbesserungen der Technik vorliegen, welche die Gewähr des Erfolges bieten?!

In den jüngsten Veröffentlichungen der Porro-Literatur von

Assistenten von C. v. Braun, ist einer der acht als genesen angeführten Fälle nachträglich noch erlegen, ebenso ein 13. Fall: es sind also von 13 Fällen sieben genesen.

Heilbrun[1]) und Menzel[2]) wird der conservative Kaiserschnitt
mit einer Souveränität des Urtheiles abgefertigt, welche aufhört
objectiv zu sein.

Die thatsächlich gemachten Fortschritte werden einfach igno-
rirt, von Menzel gar nicht der Erwähnung werth befunden.
Ich will nur einen Satz Heilbrun's hierher setzen: „Der alte (!)
Kaiserschnitt, meint er, bringt eine Reihe von Gefahren mit sich,
die beim modernen ganz (!) wegfallen. Die Gefahr der Blutung
während und nach der Operation ist wohl die schwerwiegendste,
an der die meisten Operirten zu Grunde gehen. Zersetzung der
Uterusinnenfläche, Klaffen und Dehnbarkeit der Narbe haben
Metritis und Perimetritis (! ?) zur Folge."

Die Meisten der Operirten gingen aber nicht an Blutung,
sondern an Sepsis. und Peritonitis zu Grunde. Dass Blutung
beim „modernen" Kaiserschnitt ganz wegfalle, wird dadurch
widerlegt, dass unter 77 Fällen mit Angabe der Todesursache
der ersten Zusammenstellung von Godson sich nicht weniger
als sechs befinden, wo Blutung als solche verzeichnet wird.
In so und so viel Fällen mag diese zum Eintritt des Todes wesentlich mitgewirkt haben. Die heutige Technik des conservativen Kaiserschnittes beherrscht aber die durch die Operation
selbst gesetzte Blutung vollständig, sowohl während wie für die
Zeit nach derselben.

Von einer „Zersetzung der Uterusinnenfläche" ist bei normalen Fällen gar keine Rede. Der letzte Passus der Heilbrun'-
schen Auslassung ist mir unverständlich. Als das höchste Ideal
der Porro-Operation dünkt ihm die Vereitelung einer neuen
Schwangerschaft. Nun, dann ist für ihn in allen Fällen auch
der künstliche Abortus, dann ist jedes Mittel erlaubt, um bei
Frauen mit Mangel des normalen Gebärvermögens Neuconception
zu verhindern. Diese Porro-Operation soll nun ganz besonders für den „Praktiker" geeignet sein; er soll als Kaiserschnitt-
operateur nicht mehr ausschliesslich Geburtshelfer für den jewei-
ligen Fall sein, er soll auch die Aufgabe erfüllen, folgende
Schwangerschaften abzuschneiden. Die Technik der Porro-
Operation soll ihm mehr zusagen, als die des verbesserten Kaiser-

---

1) Eine Sectio caesarea nach Porro. Centralblatt für Gynäkologie
1885, Nr. 1.

2) Ueber einen Fall von Kaiserschnitt nach Porro. Ibid. 1885, Nr. 15.

schnittes. In Wahrheit ist weder die eine noch die andere Operation bisher in die Kreise der „Praktiker" gedrungen, erst recht nicht die Porro-Operation. Diese ist in Deutschland und Oesterreich noch von keinem einzigen praktischen Arzte, sondern nur von Anstaltsdirectoren und deren Assistenten, Geburtshelfern und Gynäkologen von Fach ausgeübt worden. Noch kein Porro-Operateur hat bis jetzt die Resultate des praktischen Arztes Metz[1]) erreicht, der in der vorantiseptischen Zeit von acht Kaiserschnittfällen sieben durchbrachte. Dagegen will ich absichtlich an dieser Stelle speciell hervorheben, dass nach neuester Zusammenstellung von den in England bis jetzt vorgekommenen elf Porro-Operationen zehn gestorben sind! Sollen diese Resultate und die 56,57 Proc. der Gesammtmortalität vielleicht den „Praktiker" ermuthigen?

Möchten doch die Porro-Anhänger sans phrase sich Porro selbst zum Muster nehmen, dessen Mässigung in Bezug auf die Ausdehnung der nach ihm benannten Operation, wie es scheint, bei uns gar nicht bekannt ist. Auf dem medicinischen Congresse in Turin 1876, dem ersten, auf welchem die Porro-Operation zur Debatte kam, wurde diese zunächst nur für Fälle von schwerer Blutung (beim Kaiserschnitt) angenommen: weiteren Studien und Erfahrungen sollte es vorbehalten bleiben festzusetzen, ob die Amputatio utero-ovarica in jedem Falle angezeigt sei. Zwei Jahre später, auf dem medicinischen Congresse in Genua, äusserte Porro in der Discussion über das gleiche Thema, dass man sehr wohl in einigen Fällen bei leichter Blutstillung und raschem Vorgehen der Frau den Uterus erhalten könne („data la facile emostasi ed il pronto intervento, risparmiare l'utero alla donna"). Ferner hielt Porro seine Operation wohl für unumgänglich in Fällen von Beckenenge unter 65 mm Conj. vera, für Fälle darüber sei er jedoch geneigt, den Uterus zu erhalten, indem er sich dabei von Fall zu Fall leiten lassen würde („al disopra sarebbe inclinato a conservare l'utero lasciandosi guidare dai casi speciali").[2]) Die zurückhaltenden Aussprüche Porro's

---

1) Ueber die Anwendung der Kälte nach gemachtem Kaiserschnitte. Göschen's deutsche Klinik 1852.

Siehe auch Naegele-Grenser, Lehrbuch der Geburtshülfe. 8. Aufl. S. 399.

2) Entnommen aus Mangiagalli, Taglio cesareo etc., l. c., S. 164 und 165.

werden gewiss Manchem überraschend sein. Möge die Kenntniss
derselben dazu beitragen, dass die verschiedenen Kaiserschnittmethoden, insbesondere die beiden sich befehdenden Hauptverfahren,
friedlich neben einander bestehen.

„Der Kaiserschnitt, sagt Mangiagalli[1]) treffend, kann und
soll kein Gebiet sein, welches jeder anderen Operationsmethode
ausser derjenigen Porro's verschlossen wäre. Jeder Fetischismus
hemmt den Fortschritt der Wissenschaft." Für die von mir angegebenen Verbesserungen des conservativen Kaiserschnittes thatkräftig einzutreten und praktische Belege ihrer Bewährt-
heit beizubringen, ist die Aufgabe, welche ich mir hier in erster
Linie gestellt habe, und ich kann meine Objectivität in dem
Streite „hie Kaiserschnitt, hie Porro-Operation", nicht besser
beweisen als dadurch, dass ich auch Beiträge zur letzteren bringen werde, welche sich auf Ausübung derselben bei bestimmten
Indicationen gründen.

Die Richtigkeit meiner ersten Auseinandersetzungen und der
darauf basirten Vorschläge ist nun schon genügend praktisch erprobt, um zu weiteren Versuchen zu ermuthigen. Es liegen bereits 10 zur Prüfung verwerthbare Fälle (5 von Leopold,
1 von Beumer, 1 von Garrigues, 1 von Ehrendorfer, 1 von
Oberg, 1 von mir) vor, exclusive meinen ersten Fall von Kaiserschnitt, den ich, obwohl er günstig verlief, nicht mit hierher
rechne, weil er noch nach unvollkommener Methode operirt worden ist. Mein Verlangen nach einem eigenen Falle mit strenger
Einhaltung meiner ausgebildeten Methode wurde auf eine harte
Probe gestellt weniger dadurch, dass Leopold und Beumer mir
zuvorkamen, wofür ich ihnen ja nur dankbar sein musste, als
dadurch, dass ich, ehe ich dazu gelangte, zwei Kaiserschnitte
auszuführen hatte, welche zu den — „Porro-Operationen"
gezählt werden müssen, ohne allerdings „true Porro's Opera-
tions" (Godson) zu sein, da es sich nicht um normale Uteri handelte. Ich bin aber dadurch auch in die Lage versetzt über drei
Kaiserschnittfälle völlig verschiedener Art berichten
zu können, nach welchen sich meine „Beiträge" folgendermaassen gliedern werden:

I. Conservativer Kaiserschnitt mit Unterminirung der Serosa, Resection der Muscularis und typi-

---

1) l. c., S. 162.

scher Uterusnaht. Lebendes Kind. Reactionslose
Heilung.

Der Beschreibung des Falles werden sich anreihen: Bemerkungen über Uterusnaht und weitere Versuche zu ihrer Verein-
fachung; über Placentarlösung beim Kaiserschnitte; über Kaiserschnitt und Kraniotomie.

II. Schwangerschaft im rudimentären linken Horne
eines Uterus bicornis. Amputation des im siebenten
Monate schwangeren Hornes. Versenkung des Stumpfes. Heilung. In der Folge zweimalige normale
Schwangerschaft des Uterus unicornis dexter arti-
ficialis.

Die hier zur Ausführung gekommene derjenigen Porro's nur
verwandte Operation kann bezeichnet werden als Semi-Amputa-
tio uteri duplicis oder als Gastro-Hystero-Keratekto-
mia unilateralis oder kürzer Gastro-Hysterektomia
unilateralis. Ich werde die Beschreibung dieses Falles erwei-
tern zu einer allgemeineren Abhandlung über Nebenhorn-
schwangerschaft und deren operative Behandlung
durch die Laparatomie.

III. „Missed labour" bei multiplen, zum Theil in
Fettnekrose befindlichen Myomen des Corpus uteri.
Porro-Operation sive Amputatio uteri myomatosi
puerperalis. Tod an acuter Septichämie.

Dieser Fall führt eine bisher noch nicht vorgekommene und
auch nicht aufgestellte Indication zur Porro-Operation ein und
hat insofern Beziehung zu Fall II, als er differential-diagnostisch
mit ihm in Betracht kam.

Fall I und III wurden in der geburtshülflichen Klinik zu
Leipzig operirt, und sage ich an dieser Stelle Herrn Professor
Credé für deren Ueberlassung zur Operation und Publication
meinen ergebensten Dank. Fall II stammt aus der Praxis des
Herrn Dr. med. E. Schmidt in Ehrenfriedersdorf, dem ich
für die Ueberweisung wie für die Beihülfe bei der mit grossen
äusseren Schwierigkeiten verbundenen wissenschaftlichen Verfolgung des Falles sehr zu Dank verpflichtet bin.

I.

Conservativer Kaiserschnitt u. s. w.

Anna Syrbe, 21 Jahre alt, Fabrikarbeiterin aus Penig, wird am 5. November 1884 in die geburtshülfliche Klinik zu Leipzig aufgenommen. Sie ist niemals ernstlich krank gewesen. Als Kind hatte sie die „englische Krankheit" und lernte spät laufen. Die im 17. Lebensjahre zum ersten Male eingetretene Menstruation, welche stets regelmässig verlief, sei seit December 1883 ausgeblieben; die Empfängniss habe im Januar stattgefunden. Darauf beschränken sich die dürftigen Angaben der Anamnese.

Die S. ist eine unter-mittelgrosse Person von gesundem, frischen Aussehen; zeigt typisch-rachitischen Körperbau. Grösse 132 cm.

Aeussere Beckenmaasse: Spinae ilei 23,5; Cristae ilei 25,5; Trochanteres 29; Conjugata externa 15,5; Spinae posteriores superiores 7; Distantiae obliquae externae 17; Tubera ischii 7; Circumferentia pelvis 74; die Conjugata diagonalis beträgt 8 cm; die Conjugata vera wird geschätzt auf 6—6,5 cm.

Das kleine Becken ist nach allen Seiten leicht abzutasten: das Sacrum in seiner oberen Hälfte nach vorn convex, die untere stärker nach vorn abgebogen. Doppeltes Promontorium. Schambogen relativ weit. Beckenneigung vermehrt.

Oberschenkel 39 cm lang, stark nach aussen gebogen, Unterschenkel 32 cm („Säbelbeine").

Diagnose: **Allgemein verengtes, rachitisch-plattes Becken mit einer Conjugata vera von 6—6,5 cm.**

Die Schwangerschaft war, laut Schätzung, bereits bis zum zehnten Lunarmonate vorgerückt. Die Frucht stand in erster Schädellage. Scheidentheil kurz, Collum für den Zeigefinger durchgängig. Bauchumfang in Nabelhöhe 92 cm.

Bei dieser Sachlage war es für Einleitung der künstlichen Frühgeburt zu spät. Es konnte sich bei eintretender Geburt nur handeln um Kraniotomie oder Kaiserschnitt. Die erste musste bei der Form und dem Grade der Beckenenge unter allen Umständen eine sehr schwierige werden: es wurde daher im vornherein der Kaiserschnitt mehr ins Auge gefasst. Die Schwangere, sowie ihr Vater, die einzige von Angehörigen ihr näherstehende Person, gaben nach erfolgter Belehrung ihre Zustimmung zur Vornahme des letzteren.

In der Nacht vom 15. auf den 16. November 1884 kam es zur Geburt und zur Ausführung der Operation.

Bei meinem Eintreffen in der Klinik am 16. November gegen 3 Uhr Morgens waren kräftige Wehen vorhanden. Frucht in erster Schädellage A.; Herztöne kräftig links unten. Muttermund fast vollständig erweitert. Blase stehend. Der Hausarzt, Herr Dr. Weber, hatte nur ein Mal untersucht, sonst Niemand.

Operation, 3 Uhr 15 Minuten Morgens, in Gegenwart der Herren Prof. Credé, DDr. Dumas, Glitsch, Landerer, Sachse und einer Anzahl Studenten. Die Assistenz leisteten die Herren Anstaltsärzte DDr. Donat, Weber, Obermann, Herr Famulus Glitsch; die Anstaltshebammen Gley und Bing.

Vor Verbringung aus dem Gebärsaal in das hell erleuchtete Operationszimmer Ausspülung der Scheide mit Sublimat 1:1000; Rasiren sämmtlicher Schamhaare, Abseifung und Waschung des Bauches, der Pubes und Nates mit Sublimat; Einleitung der Chloral-Chloroformnarkose mittels Junker'schen Apparates.

Dann nochmalige Desinfection des Bauches, Abreibung mit Aether; Belegung der Umgebung des Operationsgebietes mit Guttaperchapapier, das durch Aether an die Haut angeklebt wurde. Darüber Carbolmullservietten.

Die eigentliche Operation ging in ihren fünf Phasen folgendermaassen vor sich.

I. Phase. Bauchschnitt: circa 4 cm oberhalb der Symphyse, den Nabel nach links umgehend, bis 4 cm über diesen hinaus. Länge circa 16 cm. Blutstillung durch hämostatische Pincetten. Durch die Ränder des oberen Schnittwinkels zwei provisorische Suturen, deren geknotete Enden an eine Langenbeck'sche Pincette gehängt werden. Uterus genau median stehend und durch den Assistenten so fixirt.

II. Phase. Incision des Uterus in situ, in annähernder Länge des Bauchschnittes nach Andrücken grosser Schwämme seitwärts der Bauchschnittränder. Vorderer mittlerer Medianschnitt, welcher in seiner ganzen Länge die Placenta trifft, deren Schnittränder sich im Nu breit herauswulsten und den Schnittspalt des Uterus verengen. Die rechte Schulter, der rechte Oberarm drängen sich ein. Die eingehende Hand zerreisst das nicht völlig durchschnittene Placentargewebe wie bei Placenta praevia centralis. Der Versuch, den Kopf zu erreichen und zuerst zu entwickeln, misslingt: daher Hervorholung des rechten Armes und Extraction des Rumpfes in Zugrichtung nach dem Steisse. Als der zusammengebogene Rumpf etwa bis zum Nabel hervorgezogen war, erwies sich der Uterusschnitt als zu klein für Vollendung der Extraction. Verlängerung desselben mittels gerader Scheere um 2 cm nach oben. Darauf gelang die völlige Entwickelung des Rumpfes und Kopfes (etwa in der Art der Selbstentwickelung aus der Querlage) leicht. Während dieses Actes war die Blutung aus den uterinen Schnitträndern und aus der Placenta überraschend gering, indem offenbar der kindliche Körper tamponirend wirkte. Das vorstürzende Blut und Fruchtwasser wurde, so weit es nicht daneben lief, durch die grossen Schwämme aufgesogen und drang, da auch die Hände des Assistenten Spaltbildung zwischen Uterus und Bauchwand verhinderten, nichts davon in die Bauchhöhle.

Das Kind (siehe weiter unten die Maasse) war etwas asphyktisch, wurde aber bald zum Schreien gebracht.

III. Phase. Herauswälzung des sich rasch verkleinern den
Uterus aus der Bauchhöhle, dahinter Einlegung eines flachen Schwam-
mes, über welchen die Bauchschnittränder an den provisorischen Suturen zusammengezogen und durch Koeberlé's, angehängt an die
zusammengedrehten Fäden, zusammengehalten wurden. Der heraus-
gehobene Uterus wird auf eine achtfach gefaltete Mullserviette ge-
lagert. [1])

Die Placenta erstreckte sich noch die vordere Uteruswand
entlang bis zum Fundus. Auf ihre spontane Lösung wurde, da sie
genau bis zu ihrem Mittelpunkte durchtrennt war, nicht lange ge-
wartet. Zuerst quollen die seitwärts vom Uterusschnitt inserirten
Partien, dann drängte sich, die Fötalseite nach unten gekehrt, die
obere intacte Hälfte hervor und wurde mit den Fingern völlig gelöst. Blutung dabei ganz gering. Ein retroplacentarer Bluterguss
wurde nicht beobachtet. Inzwischen trat eine so vollständige spontane Inversion der hinteren Corpuswand ein, dass die sie
bedeckenden Eihäute fast zum Schnittspalt des Uterus hervordran-
gen (siehe Abbildung Fig. 1). Ihre Lösung wurde vorsichtig und

Fig. 1.

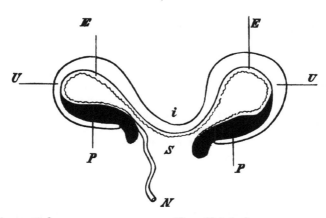

U = Uteruswände.	N = Nabelschnur.
S = Schnittöffnung.	E = Eihäute.
P = durchschnittene u. vorquellende	i = invertirte hintere Uteruswand.
Placenta.	

langsam bewerkstelligt. Gleichwohl rissen sie ab und blieb gerade ein das untere Uterussegment auskleidendes und das Os internum verschliessendes Stück sitzen, dessen Entfernung diesen erst
frei machte. Der innere Muttermund (sicher weder Contractionsring
noch Müller'scher Ring!) hatte sich so eng zusammengezogen, dass
der von oben eindringende Zeigefinger fest umschnürt wurde.

---

1) Siehe Abbildung dieses Archiv, Bd. XX, S. 303.

IV. Phase. Trotzdem der Uterus mehr retrahirt als contrahirt war, erfolgte nur eine mässige Blutung aus den Schnitträndern, nur ganz geringe aus der Uterinhöhle. Relativ am stärksten blutete es aus dem unteren Wundwinkel, und zeigte sich an der lockeren Haftung des Peritoneum ebenda, dass derselbe bereits im unteren Uterinsegmente gelegen sein musste. Abmessung des Schnittes ergab eine Verkürzung auf etwa 12 cm. Der Abstand des oberen Wundwinkels vom Fundus betrug noch ca. 8 cm, der vom Vertex vesicae nur ca. 5 cm. Es war also kein exacter vorderer mittlerer Medianschnitt gemacht worden, wie beabsichtigt und vorausgesetzt, sondern ein etwas tieferer Schnitt.

Die Oberfläche des Uterus zeigte zahlreiche Duncan'sche Falten. Die Dicke der Uteruswandungen im Bereiche des Schnittes war bedeutend geringer als die eines intacten Post-partum-Uterus: stärkste Dicke circa 2 cm. Die Schnittränder zeigten gar keine Tendenz, sich aneinander zu legen, indem sie durch die invertirte hintere Corpuswand rautenförmig auseinandergedrängt und bei Erschlaffung des Uterus geradezu wellenförmig wurden. Der obere Wundwinkel lief spitz zu, der untere war mehr bogenförmig gestaltet. Die Schnittränder fielen leicht convergirend nach innen ab. Zu einer Berührung der Decidualsäume konnte es bei dem breiten Klaffen der Uteruswunde nicht kommen (siehe die Abbildung Fig. 2).

Nach rascher Prüfung dieser Verhältnisse wurde zur elastischen temporären Constriction, zur Resection und Naht des Uterus geschritten. Eine vorherige Glättung der Uterushöhle war kaum nöthig. Sie wurde auch nicht mit einem Schwamme ausgewischt, sondern ihre Wände nur mit einigen Prisen Jodoform eingerieben, wovon ein Theil in die Cervix hinabgeschoben wurde.

Die Constriction wurde absichtlich mit einem Gummischlauche von etwa Kleinfingerdicke und nicht mit einer Gummischnur vorgenommen, weil ein zu starkes Einschnüren der letzteren gefürchtet wurde. Der Schlauch wurde nur mässig angezogen, nicht geknotet, sondern an der Kreuzungsstelle auf der rechten Seite durch eine kräftige Koeberlé'sche Pincette geschlossen erhalten. Resection und Naht erfolgten nun in aller Bequemlichkeit und Ruhe ohne einen Tropfen Blutverlust.

Die Resection begann am oberen Wundwinkel. Die Serosa wurde mit einer Hakenpincette gefasst und bei horizontaler Haltung des Messers nur auf eine Tiefe von 3 bis 4 mm unterminirt bis herab zum unteren Wundwinkel. Dann wurde, wieder von oben beginnend, die Muscularis an der Decidualseite mit der Pincette gefasst, nur wenig angezogen, wodurch sie aber schon fast wagerecht zu stehen kam, und von innen nach aussen glatte Scheiben Muscularis von 1 bis 2 mm Dicke abgetragen. Die feine Decidua konnte dabei leicht vermieden werden, indem die Muscularis oberhalb derselben von der Pincette gefasst wurde (siehe die Abbildungen Fig. 3 u. 4).

Zur Naht wurde weicher, geglühter, echter Silberdraht[1]) und
feine carbolisirte Seide benutzt; acht Silber- und 20 Seidensuturen. Bei Anlegung der ersteren wurde 1 cm vom serösen
Wundrande entfernt eingestochen, die ganze Dicke der Muscularis
bis dicht an die Decidua gefasst und umgekehrt auf der anderen Seite ausgestochen, die Enden gekreuzt, drei Mal gedreht,

Fig. 2.

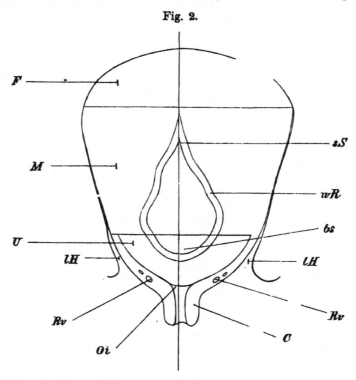

F = Fundussegment ⎫ des Corpus	Rv = Ringvenen.
M = Mittelsegment ⎬ uteri.	sS = spitzer oberer Wundwinkel.
U = Untersegment ⎭	wR = wellige Ränder des Schnittes.
lH = lockere Haftung des Perito-	bs = bogenförmiger unterer Wund-
neum.	winkel.
Oi = Orificium internum.	i = invertirte hintere Uteruswand.
C = Collum.	

kurz abgeschnitten und die spitzen Enden mittels Pincette gebär-
mutterwärts umgebogen. Die Einfalzung konnte mit einer Pincette leicht bewerkstelligt werden. Die oberflächlichen symperitonealen Seidennähte wurden in einer Entfernung von

---

1) Bezogen von Juwelier Gütig in Leipzig, Thomaskirchhof. Der von
Instrumentisten käufliche Silberdraht ist mehr minder stark mit Kupfer legirt,
hart, spröde, brüchig.

etwa 3 bis 4 mm von der Silbernahtlinie ein- und ausgestochen. Da die Serosae bogenförmig eingefalzt wurden, so mussten sie ganz nach Art der Lembert'schen Darmnaht das Bauchfell jeder Seite z w e i

Fig. 3.

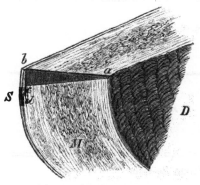

Stück der Uteruswand.

D = Decidua.
S = Serosa.
M = Muscularis.
bd = unterminirte Strecke, 4 mm tief.
abc = resecirtes Stück Muscularis 1 bis 2 mm
       breit.

Fig. 4.

Resecirtes Muskelstückchen in
natürlicher Grösse.

D = Decidua.
S = Serosa.

M a l durchstechen, wodurch dann die weitere Einfalzung sich ganz von selbst herstellte (siehe die Abbildungen Fig. 5 u. 6).

Fig. 5.

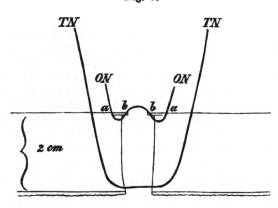

TN = tiefe Naht.   ab = unterminirte Strecke.
ON = oberflächliche Naht. a zu a, b zu b.

2*

Mit den Serosae wurde auch noch eine kleine Partie der Muscularis mitgefasst. Da die Länge der Nahtlinie nur etwa 10—12 cm betrug, so folgten die Seidensuturen etwa in einer Entfernung von je 0,5 cm, die Silbersuturen in einer solchen von 1,2 cm. Der Naht des unteren Wundwinkels wird besondere Sorgfalt gewidmet, da hier die Serosa lockerer angeheftet war. Die unterste Silbersutur wurde

Fig. 6.

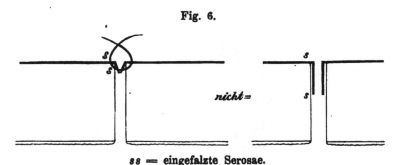

ss = eingefalzte Serosae.

breiter angelegt und fester zugedreht, die Seidensuturen dichter zusammen, wodurch das Knöpfchen der umgebogenen Silbersutur von der Serosa fast ganz überwallt wurde.

Nach Lösung des Gummischlauches ging die vorher blassröthliche Färbung des Uterus in eine tiefrothe über. Er vergrösserte sich aber überraschend wenig und trat keine äussere Blutung auf. Die temporäre Blutabsperrung schien eine so feste Thrombose der Gefässe und Sinus bewirkt zu haben, dass der volle Choc der wieder eintretenden Blutwelle sie nicht wieder aufheben konnte.

Aus der Nahtlinie kam nicht ein Tröpfchen Blut. Lediglich aus einem Stichkanal in der Mitte und unten sickerte ein Minimum aus, weshalb dicht daneben noch je eine feine Seidensutur eingelegt wurde.

V. Phase. Der Uterus wurde jetzt mittels Schwamm und warmer Sublimatlösung (1 : 1000) gründlich gewaschen, die Nahtlinie jodoformirt und nach Herausnahme des Bauchschwammes wieder in die Bauchhöhle versenkt. Keine Toilette der letzteren. Ueber den Uterus wurde bis zur vollendeten Durchlegung der das Peritoneum mitfassenden Bauchnähte eine carbolisirte Mullserviette gebreitet. Sechs tiefe (incl. der zwei provisorischen) und zwölf oberflächliche Seidensuturen genügten zum Schlusse der noch etwa 12 cm langen Bauchwunde, welche gleichfalls jodoformirt wurde.

Der Uterus stand jetzt circa einen Querfinger oberhalb des Nabels. Aus der Scheide ging nur ganz wenig Blut ab. Der Uterus wurde vorsichtig massirt und bei gleichzeitiger Contraction etwas nach abwärts geschoben, bis der Fundus unterhalb des Nabels und zugleich in der Mitte stand. Dies geschah, um einen Polsterverband aus Jutebäuschen anlegen zu können, welcher weiteres Emporsteigen des Uterus hindern sollte.[1]) Auf die Wunde kamen erst Jodoformgaze, dann Salicylwatte, dann Jutebäusche. Verwickelt wurden eine Mull- und eine Gazebinde.

Dauer der Operation 1 Stunde 20 Minuten. Narkose völlig ruhig und ungestört. Puls langsam, voll, kräftig.

Gesammtblutverlust äusserst gering. Nach Verbringung in das Bett noch zwei Spritzen Ergotin. Vor die Vulva ein grosser Bausch Salicylwatte.

Das Kind war ein knappreifes Mädchen von 2800 g Gewicht, 51 cm Länge. Durchmesser der Schultern 12 cm. Gerader Durchmesser des Kopfes 12,5 cm. Senkrechter Durchmesser des Kopfes 10,0 cm. Querer Durchmesser des Kopfes 9,5 cm. Schräger Durchmesser des Kopfes 13,0 cm. Umfang der Schultern 33 cm. Grösster Umfang des Kopfes 33 cm. Kleinster Umfang des Kopfes 31,5 cm.

Verlauf.

Die Nachbehandlung unterstand Herrn Dr. Obermann, dessen freundlichst überlassene Aufzeichnungen ich mit den meinigen vereint habe.

16. November, 8 Uhr Vormittags. Temperatur 37,1. Puls 106. Respiration 26.

Kein Erbrechen gehabt. Nur beim gelegentlichen Husten etwas Leibschmerz. Geringer Abgang von stark nach Jodoform riechendem Blute per vaginam. Ti. opii gtt. XX. Katheter.

16. November, 5 Uhr Nachmittags. Temperatur 37,9. Puls 120. Respiration 26.

Die vorhandenen mässigen Leibschmerzen entschieden Nachwehen; Klagen über Druck durch den Verband. Bei Abnahme desselben schnellen die Jutekissen förmlich in die Höhe infolge plötzlicher Ausdehnung der comprimirten Bauchwände; der Leib war mit einem Male meteoristisch aufgetrieben, doch überall weich, nicht druckempfindlich. Der Uterus stand mit seinem Fundus bis Nabelhöhe und war dabei etwas nach rechts abgewichen. Es wurde ein einfacher Heftpflasterverband angelegt: darüber kam Guttaperchapapier und eine Eisblase, gerade über dem Uterus.

Zunge feucht. Hautschweiss. Kein Erbrechen. Das Kind ist ein Mal angelegt worden und hat getrunken. Ein Klysma von $^1/_2$ Liter Wasser mit Emulsion von $^1/_2$ Esslöffel Ol. terebinth. wird behalten. Weder Stuhl noch Flatus. Urin spärlich, orangefarben (Jodoformurin). 0,03 Morph. subcutan.

17. November, früh. Temperatur 37,6. Puls 116. Respiration 22.

Schlief gut. Gar keine Klagen. Noch immer nicht erbrochen. Meteorismus hat zugenommen, doch bleibt der Leib überall weich und unempfindlich für Druck. Das Kind wird regelmässig angelegt. Ein Klysma von $^3/_4$ Liter Wasser mit Emulsion von je einem Esslöffel Ol. Ricini und Ol. terebinth. wirkungslos gegen den Tympanites.

---

1) Siehe Abbildung in diesem Archiv, Bd. XX, S. 304.

Abends: Temperatur 37,7. Puls 120. Respiration 24. Leib noch nicht zusammengefallen. Pulv. Natr. bicarb. c. Bism. subnitr. ää 0,5. 0,02 Morph. subcutan. Eisblase auf die Gegend des Uterus. (Siehe T. und P. in nachstehender Curve.)

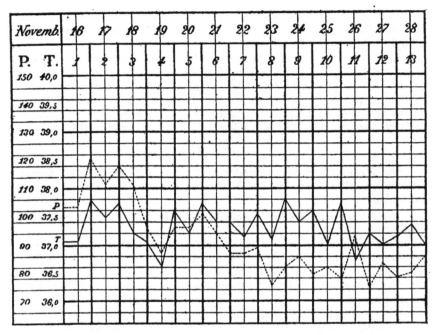

Am 18. November Nachmittags gingen die ersten Flatus ab und fing, unter Abfall des Pulses bis auf einige 90 Schläge, der Leib an einzusinken.

Am 19. November, also am dritten Tage nach der Operation, war der Zustand ein subjectiv wie objectiv tadelloser. Völliges Wohlbefinden; lebhafter Appetit. Reichlicher Wochenschweiss. Die Lochien fangen bereits an abzublassen, riechen nur noch wenig nach Jodoform. Der Uterus in rascher Verkleinerung, steht jetzt zwei Querfinger unterhalb des Nabels. — Keinerlei Medication weiter. Wöchnerin urinirt auch spontan.

Am 20. November früh erfolgt auf einfaches Klysma zum ersten Male und leicht reichliche, breiige Stuhlentleerung. Die Wöchnerin verhält sich durchaus wie eine andere normal entbundene, gesunde Puerpera.

Vom 22. November an werden nach und nach die Suturen entfernt. Einige Stichkanäle eitern etwas und klafft die Hautwunde an mehreren Stellen ein wenig auseinander. (Wohl Folge der Zerrung durch den acuten Meteorismus.)

Am 30. November, also am 15. Tage verlässt die Wöchnerin das Bett, in welchem sie des Zustandes der Bauchwunde wegen etwas länger gehalten wurde. Auch in der Folge tritt nicht die geringste Störung der Convalescenz ein. Das Kind gedieh an der Mutterbrust vortrefflich und wog am 15. December bereits 3350 g bei 53 cm Länge.

Um zu prüfen, ob durch die Operation der Gang der Rückbildung des Uterus gehemmt werde, wurde die Syrbe bis zum Ablauf der sechsten Woche in der Klinik behalten und bei ihrer Entlassung am 31. December folgender Status erhoben: Bauchwunde knapp 10 cm lang, fest vernarbt; Portio vaginalis kurz, rundlich; Orificium externum ein kleines Grübchen. Der Uterus anteflectirt, von normaler Grösse, völlig beweglich und unempfindlich. Er unterschied sich in Nichts von dem Uterus einer normal Entbundenen.

Das Kind wog bei der Entlassung 4000 g und war 55 cm lang. Die Mutter wird es bei sich behalten und weiter stillen.

Epikritische und technische Bemerkungen zur Operation.

Allgemeines. Die Ausführung derselben hielt sich im Ganzen und Grossen an mein zuletzt in diesem Archiv, Bd. XX, S. 320 ff. entwickeltes Programm.

Wer den durchaus reactionslosen, glatten Verlauf vorstehenden Falles, der den des ersten Falles von Leopold noch übertraf, ins Auge fasst, muss zugeben, dass in der That alles Verheissene erreicht wurde: Verhalten des Uterus gleich einem unverletzten Organe, sicherer Ausschluss von primärer und secundärer Blutung in die Bauchhöhle, Ausschluss von Peritonitis, Verlauf nach der Operation unter einem dem physiologischen gleichkommenden Zustande der Wöchnerin. Eine leichte Ovariotomie kann nicht ungestörter, idealer verlaufen, als dieser Kaiserschnitt. Die einzige Störung, der Meteorismus mit erhöhtem Puls in den ersten paar Tagen, ist wohl nur dem Drucke des Verbandes zuzuschreiben (Sympathicusparese!) und war für den Verlauf ohne jede Bedeutung. Vermag die Porro-Operation in einem gleichen Falle Gleiches zu leisten? Meiner Auffassung nach würde das Operationsresultat einer solchen nur dann mit dem eines conservativen Kaiserschnittes recht verglichen werden können, wenn die Bauchhöhle geschlossen, der Amputationsstumpf somit versenkt wurde. Und wenn sich dann ergäbe, dass die Porro-Operation mit Versenkung des Stumpfes und Schluss

der Bauchhöhle ebenso reactionslos verlaufen könne, so bleibt
noch immer das ungeheuere Uebergewicht des Kaiserschnittes, dass
er das gleiche Operationsresultat erzielen lässt ohne Verlust des
Uterus und der Ovarien. Die glänzendsten Resultate der Porro-
Operation werden über diesen schwachen Punkt nie hinwegkom-
men, auch nicht mit der geschickten Aufstellung der durch dieselbe bedingten Sterilisation als Selbstzweck, da sich dieser, falls
er einmal indicirt sein sollte, auch ohne Abtragung des Uterus
und der Ovarien leicht erreichen lässt.

Wie steht es nun aber gerade um die bisherigen Resultate
der Porro-Operation mit intraperitonealer Methode der
Stumpfbehandlung, welche Harris „an infortunate experiment"
genannt hat? Es sind 14 solche Fälle bekannt — nicht mit-
gerechnet die beiden (geheilten) Fälle von Amputation eines rudimentären Nebenhornes bei Uterus duplex von Salin und mir —
und nur vier sind geheilt: der Fall von G. Veit[1]) in circa vier
Wochen, unter Temperaturen bis zu 39,0; der von Kabierske jun.[2]),
nach langwierigem „Lungenkatarrh" und schwerer (embolischer?)
Pleuritis; der von A. Martin[3]) und der von Fritsch[4]) (Heil-
brunn). Nur die beiden letzten Fälle sind glatt geheilt, der von
Fritsch ohne die geringste Reaction. Dass solches gelang, ist
zwei Umständen zuzuschreiben: sehr frühzeitiger Operation noch
in der Schwangerschaft und einer angepassten, rationellen Technik, welche neben völliger Asepsis gipfelt in der peritonealen
Deckung des Stumpfes und, wenigstens in dem Falle von Fritsch,
Mitversenkung der elastischen Ligatur. Die symperitoneale Falznaht ist auch von Kabierske jun. schon angewandt worden, und
weist dieser ausdrücklich darauf hin, sich die von Leopold
geübte Stumpfnaht bei Myomotomie zum Vorbild genommen zu
haben. Da ich nun in Verfolgung meines Themas der Auffin-
dung einer geeigneten Uterusnaht für den Kaiserschnitt auch
dahin gekommen bin' nachzuweisen, weshalb die intraperitoneale
Methode der Porro-Operation fast immer fehlschlug, und aus-

---

1) Veröffentlicht von Levis im Centralblatt für Gynäkologie 1881, Nr. 9.
2) Centralblatt für Gynäkologie 1883, Nr. 18 und 19.
3) Vortrag in der Gesellschaft für Geburtshülfe und Gynäkologie in Berlin.
Zeitschrift für Geburtshülfe u. Gynäkologie, Bd. X, S. 155.
4) Centralblatt für Gynäkologie 1885, Nr. 1.

einandersetzte, wie der Stumpf rationell zu nähen sei[1]), d. i. so
wie Kabierske, A. Martin und Fritsch es auch gethan haben, darf ich wohl, namentlich letzteren gegenüber — nicht Leopold, der ausdrücklich hervorhebt, meinem Vorschlage gefolgt
zu sein — hier meine Priorität geltend machen, was um so be-
rechtigter sein dürfte, als ich bereits im October 1882 in meinem
Falle von Amputation eines rudimentären schwangeren Uterus-
nebenhornes[2]), den ich jetzt ausführlich mittheilen werde, die
Stumpfversorgung mittels symperitonealer Falznaht und Mitversenkung der elastischen Ligatur vorgenommen habe. Was dieses
Verfahren mit der Schröder-Olshausen'schen Methode der
intraperitonealen Stumpfbehandlung nach Amputatio uteri myomatosi supravaginalis gemein hat und was nicht, brauche ich wohl
nicht erst besonders auseinanderzusetzen. Ich bringe diese Sache
gerade hier zum Austrag, weil es mir darauf ankommt, zu zeigen,
dass die Porro-Operation sich des gleichen Princips,
welches ich für die Uterusnaht beim Kaiserschnitte
aufstellte, bedienen muss, wenn sie für die intraperitoneale Methode der Stumpfbehandlung bessere
Resultate erzielen will.[3]) Mit der Frage, welche Fälle sich
für extra-, welche für intraperitoneale Behandlung des Stumpfes
besser eignen, haben sich die Porro-Operateure noch kaum
näher befasst, wohl weil die extraperitoneale Methode in höherem
Grade als bei der jetzt vor der gleichen Frage stehenden Myomotomie die herrschende ist und sie vorerst entschieden die besseren
Resultate aufweist.

Jetzt gelange ich zu dem Punkte, weshalb ich diese Erörte-
rungen gerade an dieser Stelle gebracht habe, nämlich, dass
es nicht richtig ist, die typische Porro-Operation
mit extraperitonealer Versorgung des Stumpfes mit
dem verbesserten Kaiserschnitte in Bezug auf Technik in Parallele zu setzen. Es sind beides grundver-

---

1) Kaiserschnitt-Monographie, S. 190 ff.

2) Verhandlungen der Gesellschaft für Geburtshülfe in Leipzig, Centralblatt für Gynäkologie 1883, Nr. 20, als vorläufige Mittheilung.

3) Zu den bereits von mir angeführten Stumpf-Inversionsmetho-
den von Frank und Wasseige sind noch weitere von Bompiani, Cha-
lot, Heusner, King hinzugekommen. Noch keine ist in der Praxis versucht, geschweige erprobt worden. Ich bin mit Mangiagalli darin einig,
dass sie keine Zukunft haben werden.

schiedene Operationen, die nur unter sich selbst verglichen werden sollten. Der Kaiserschnitt wie die Porro-
Operation wollen für sich beurtheilt sein: was sie scheidet, braucht
nicht mehr gesagt zu werden; worin sie sich berühren, das wurde
oben auseinandergesetzt; der technischen Fragen, welche nur den
Kaiserschnitt angehen, sind so viele, dass dieser, wieder erstarkt,
mit ihrer Prüfung genug zu thun hat, um nicht durch stetig
vergleichende Seitenblicke auf die Porro-Operation. davon abgehalten zu werden. Suum cuique! Ich werde daher, nachdem
ich die Superiorität des verbesserten Kaiserschnittes hinsichtlich
der Idealität seines Zweckes und seiner Resultate des Allgemeinen
erörtert habe, mich speciellen Einzelheiten des ersteren mit Bezug
auf meinen Fall zuwenden.

1) Die Vorbereitungen gipfeln sämmtlich darin, von der
Gebärenden bis zum Zeitpunkte der Operation Infection fern-
zuhalten und durch Desinfection der in das Operationsbereich
fallenden Körpertheile die Bedingungen strenger Asepsis zu erfüllen. Asepsis des Operateurs uud seiner Assistenten vorausgesetzt, kann unter so günstigen Verhältnissen operirt werden,
als es eine Laparatomie nur irgend erheischt. Durch das Sublimat ist gerade die Kaiserschnitttechnik um ein sehr werthvolles
Mittel bereichert worden, die Geburtstheile, soweit von aussen
zugänglich, sicherer zu desinficiren. Ist es weiterhin möglich,
frühzeitig zu operiren, gegen Ende der ersten Geburtsperiode,
womöglich bei stehender Blase, ohne vorausgeschickte andere
Entbindungsversuche, so ist für ein Gelingen der Operation der
Boden in der günstigsten Weise bereitet. In jeder modern ge-
leiteten Entbindungsanstalt lassen sich diese Vorbedingungen leicht
erzielen, ebenso in der Privatpraxis, wofern der zu operirende
Fall rechtzeitig übernommen werden kann.

2) Bauch- und Uterusschnitt. Beide sollen einander
congruent sein und ihre durchschnittliche Länge 16 cm betragen.
Der Uterusschnitt soll als vorderer mittlerer Medianschnitt
angelegt werden, so dass das untere Uterinsegment vermieden wird. Meinen früheren Erwägungen für Wahl dieses Schnittes
habe ich besonders auf Grund der Erfahrung an meinem obigen
Falle noch die hinzuzufügen, dass man bei einem tieferen Median-
schnitte in das Bereich der lockeren Haftung des Peritoneum ge-
räth, dessen feste Haftgrenze am hochschwangeren Uterus höher
gerückt ist. Das Bauchfell wäre allerdings leichter flächenhaft

zu vernähen, aber aus den hier befindlichen Blutsinus und circulären Venen, welche durch die dünnere Muskulatur weniger fest geschlossen erhalten werden, entstehen leicht stärkere Blutungen und subseröse Hämatome, ferner Zellgewebseiterungen, welche zu Ausstossung der Suturen führen können (Leopold).

Ja, ich bin überzeugt, dass die schweren, früher so oft tödtlichen Blutungen beim Kaiserschnitte weniger auf Atonie des Corpus uteri als auf zu tiefe Schnittführung und Durchtrennung jener Gefässe zurückzuführen sind. Daher soll der Uterusschnitt nur wenig unterhalb der festen Haftgrenze des Peritoneum fallen und gebe ich den Rath, vor Incision des Uterus vom Vertex vesicae her mit dem Finger zu prüfen, bis wie weit die Verschieblichkeit des Peritoneum reicht und den Schnitt danach einzurichten. Erkennt man, wie ich in meinem Falle, nachträglich die leicht auffallende Verschieblichkeit der Serosa im Bereiche des unteren Schnittwinkels, so muss man durch enge, tief- und breitumfassende Naht den lockeren Zellgewebsraum zwischen Muscularis und Serosa auszuschalten suchen. Um den vorderen mittleren Medianschnitt, von dem ich gezeigt habe, dass er der geeignetste sei und für welchen alle Nahtmethoden in erster Linie berechnet sind, gleich richtig zu treffen, und zwar so, dass Bauch- und Uterusschnitt einander entsprechen, kann man vielleicht in folgender Weise verfahren. Der Uterus wird genau median gestellt und die Entfernung vom Fundus bis zur Symphyse ausgemessen. Beträgt dieselbe, wie durchschnittlich, 34 cm (Spiegelberg), so würde ein Abzug von je 9 cm vom Fundus nach abwärts von der Symphyse nach aufwärts den oberen und unteren Endpunkt des Schnittes bezeichnen: somit kämen auf diesen dann gerade 16 cm, die gewöhnliche Länge, in welcher er angelegt wird. Freilich kann man den Schnitt durch die Bauchwand auch tiefer herabgehen lassen, es wird aber nicht nöthig sein. Da nun die Entfernung vom Nabel bis zur Symphyse zwischen 13 und 31 cm schwankt (v. Hecker), so sollte die Berechnung des Hautschnittes nicht, wie wir dies z. B. von der Ovariotomie her gewöhnt sind, vom Nabel und von der Symphyse ausgehen, sondern sollten mehr die angeführten Distanzen maassgebend sein. Es könnte dann sehr wohl vorkommen, dass der Nabel die Mitte des Schnittes einnimmt, ja dass der längere Theil desselben oberhalb fällt: meist werden etwa $^2/_3$ unter-, $^1/_3$ oberhalb des Nabels kommen. Bei abnormer Dehnung des unteren

Uterinsegmentes (richtiger „Corpussegmentes") und der Cervix müsste der Schnitt entsprechend höher oberhalb der Schamfuge enden, wenn man nicht vorzieht, den tiefen Querschnitt auszuführen. Wird die Herauswälzung des nicht incidirten Uterus aus der Bauchhöhle nach P. Müller vorgenommen, so muss der Bauchschnitt tiefer herabgehen, doch wiederum nicht so tief, wie gewöhnlich bei anderen Laparatomien, wegen höherer Lage der Harnblase. Für aseptische Fälle von Kaiserschnitt halte ich aber die P. Müller'sche Modification für unnöthig: das Einfliessen von Blut- und Fruchtwasser kann und soll in bekannter Weise verhütet werden. Gelingt dies ein Mal nicht vollständig, so wird die Toilette der Bauchhöhle die eingedrungenen Flüssigkeiten wieder entfernen. Der Uterus soll bei gesundem Eie für gewöhnlich erst nach der Entbindung aus der Bauchhöhle herausgedrängt und diese hinter ihm abgeschlossen werden, was bei kleinem Bauchschnitte leicht möglich ist.

3) Verhalten der Secundinae. In meinem Falle wurde die Placenta von ihrem unteren Rande bis zu ihrem Centrum durchschnitten.

Man kann dieses Verhalten als „Placenta praevia centralis caesarea" bezeichnen. Hinsichtlich der Entbindung ist der Schnitt gleich dem Muttermunde. Kann doch, um die Analogie vollständig zu machen, der Uterus sich zum Schnitte heraus förmlich invertiren, wie wir gesehen haben. Das so gefürchtete Ereigniss des Getroffenwerdens der Placenta hat in unserem Falle weder eine sonderliche Mehrblutung veranlasst, noch die Naht erschwert, noch die Heilung beeinträchtigt. Das Operationsverfahren hat sich also auch dieser Complication gegenüber wohl bewährt, namentlich sowohl was temporäre wie definitive Blutstillung anbelangt. Ich kann Grigg[1]) nur beistimmen, dass die Eröffnung eines Ringgefässes des unteren Uterussegmentes weit misslicher ist, als die Durchschneidung der Placentarstelle. Man braucht also um dieser willen den Schnitt durchaus nicht zu verlegen, wie Halbertsma will, und es ist nicht rathsam, sich mit den Probepunctionen nach dem Sitze der Placenta aufzuhalten.

Nun komme ich zu einem rein theoretischen Abschnitte, der

---

1) New-York medical Record 1882. Siehe Centralblatt für Gynäkologie 1882, Nr. 28.

Frage von dem Werthe directer Beobachtung der Lösung der Secundinae beim Kaiserschnitte.

Von Ahlfeld[1]), Leopold[2]), Barbour[3]) sind neuerdings
Kaiserschnitt-Uteri dazu benutzt worden, die normalen Lö-
sungsverhältnisse der Placenta und Eihäute zu studiren. Ahlfeld und Barbour hatten durch Porro-Operation gewonnene
Uteri als Studienobjecte, Leopold beobachtete in situ nach Herauswälzung des Uterus aus der Bauchhöhle. Ich kann diesen
Untersuchungen und den daraus gezogenen Schlüssen nur einen
geringen Werth beimessen, da sie unter Bedingungen angestellt
wurden, welche von den normalen Verhältnissen doch sehr weit
abliegen. Die Beobachtungsresultate sind auch keine einheitlichen.

Ahlfeld verfährt in der Deutung des Placentarbefundes des
von Dohrn nach Porro exstirpirten Uterus ganz eigenthümlich.
Die an der Hinterwand des Uterus inserirte Placenta sass mit
Ausnahme der obersten Spitze, welche in den Schnitt hineinragte,
überall noch ganz fest, besonders an den Rändern, deren stärkere Haftung im Verhältnisse zum Centrum der Placenta betont
wird. Trotzdem der Uterus vor der Incision mit einem Gummischlauche ligirt, trotzdem die Nabelschnur sehr bald placentar-
wärts unterbunden worden war, wodurch es leicht zu einer Blut-
stauung zwischen Placenta und Uterus kommen konnte, trotz der
mit Amputation des letzteren nothwendig verbundenen Misshand-
lungen bildete sich kein retroplacentarer Bluterguss.
Ahlfeld schliesst aber, indem er über seinen objectiven Befund
hinausgeht, dass sich normaliter ein solcher bilden müsse.
Er sagt: „Die Flächenreduction der Anheftestelle der Placenta
ist der wichtigste Factor für die Lösung derselben. Da eine Lösung des Randes in den ersten Stadien in der Regel nicht erfolgen kann, so hebt sich der centrale Theil ab. Der sich bildende
Raum füllt sich durch Aspiration mit Blut."

Ahlfeld hat an seinem Porro-Uterus weder einen solchen
Raum gesehen, noch einen Bluterguss: dennoch sagt er, „sein
Präparat biete den Beweis, dass ein Hohlraum zwischen Pla-

---

1) Berichte und Arbeiten aus der geburtshülflich-gynäkologischen Klinik
zu Giessen 1881—1882, S. 42 ff. Leipzig, W. Grunow.

2) l. c.

3) The anatomy and relations of the Uterus during the third Stage of
Labour and the first days of the puerperium. Edinb. med. Journal, Sept. u.
Oct. 1884.

centa und Uteruswand entsteht, der an der Lebenden aus ein-
fachen physikalischen Ursachen nur durch eine Flüssigkeit oder
durch Einbuchtung der Uterinwand ausgefüllt werden könne."

Das Ausbleiben des Blutergusses erklärt er aus dem Aus-
bluten des Uterus, aus dem Eindringen von Luft zwischen Placenta und Uteruswand von der durch den Schnitt eröffneten
oberen Placentarperipherie; geringerer Flächenreduction des sich
nicht mehr contrahirenden Uterus. „Erst in der Müller'schen
Lösung (!) entstanden stärkere Contractionen (!), die zu einer weiteren centralen Abhebung führten."

Dieser Begründung, weshalb ein erwarteter Befund sich
nicht vorfand, möchte ich einwerfen: der Ausblutung des Uterus
ging eine Blutanstauung voraus; die Placenta haftet an der Uteruswand nicht durch „luftdichten Verschluss der Placentarperipherie", sondern durch organische Continuität der Gewebe, deren
Trennung doch nicht durch den auf allen Gegenständen des Rau-
mes gleichmässig lastenden Luftdruck bewirkt werden kann und
hier auch gar nicht bewirkt wurde. Der ausgeblutete, todte
Uterus kann auch in Müller'scher Lösung keine Contractionen
mehr machen. Obwohl nun also in diesem speciellen Falle kein
retroplacentarer Bluterguss vorhanden war, gehen Ahlfeld's
Schlüsse auf das Normale dahin, dass meist ein solcher vorhanden sei. Meines Erachtens hätte er es viel leichter gehabt mit
der Erklärung dieses Widerspruches: er brauchte nur auf die
grossen Unterschiede zwischen einem normalen und einem aus
dem Körper entfernten Porro-Uterus hinzuweisen.

Viel objectiver, doch gleichfalls mehr fragend, als die Präparate beantworten können, geht Barbour zu Werke.

Er verfügte über zwei Präparate von Porro-Uteri. Ein
drittes Präparat lasse ich hier ausser Spiel, weil es einem Falle
von Porro-Operation in moribunda entstammt, wobei die durch
vorzeitige pathologische Ablösung der Placenta entstandene Blutung die Indication abgab. In den beiden anderen Fällen fand
sich kein retroplacentarer Bluterguss, obwohl in dem einen Falle
der Uterus vor der Eröffnung mittels Gummischlauch umschnürt
worden war. Die makro- und mikroskopische Beschreibung der
Präparate Barbour's ist exact und mustergültig; die beigegebe-
nen Abbildungen sind vollendet schön, geben auch Einzelheiten,
wie z. B. die Faltung der Eihäute, welche bisher noch nicht nach
der Natur dargestellt worden ist, aber auch er geht in seinen

Schlüssen auf das Normale über den objectiven Befund hinaus. Von seinen an zwei Stellen durch künstliche Eröffnung klaffenden Uteri schliesst er, dass der normale Uterus im Zustande der Contraction keine freie Höhle besitze, dass die Placenta durch die Contractionen ohne Bildung eines retroplacentaren Blutergusses gelöst und als fremder Körper ausgetrieben werde. Es kommen somit seine Schlüsse ganz auf die Lehre von Duncan hinaus, nur für den fundalen Sitz der Placenta nähert er sich der Schultze'schen Ansicht, dass die fötale Seite der Placenta vorangehe, lässt aber noch offen, ob dabei ein retroplacentarer Bluterguss mithilft.

Ahlfeld's und Barbour's Präparate fixirten in Wirklichkeit nur dasjenige eine Stadium, bis wohin der Gesammtvorgang der Placentarlösung gediehen war, als der schon durch die Incision anormal gewordene Uterus durch die Entfernung aus dem Körper ein blutleeres, todtes — im physiologischen Sinne höchstens „überlebendes" — sich nicht mehr rhythmisch und maximal contrahirendes Organ wurde. Um den ganzen Vorgang zu erklären, werden Schlüsse gemacht, welche sich nur auf ein Stadium desselben stützen, das selbst durchaus pathologisch ist. Ahlfeld's und Barbour's Deutungen des Vorganges der Placentarlösung mögen ganz zutreffend sein, aber ihre Präparate beweisen ihre Richtigkeit nicht mehr denn als Leichenpräparate und als klinische Beobachtungen. Gesetzt, man könne an Porro-Uteri die Placentarlösung bis zu ihrer Vollendung verfolgen, so könnte man auch nicht mehr als das, da Cervix und Vagina fehlen: der Vorgang der Austreibung, welcher sich von dem der Lösung normaliter gar nicht trennen lässt, kann also absolut nicht studirt werden.

Weder ein im Körper verbleibender Kaiserschnitt-Uterus noch ein amputirter Uterus ist einer maximalen Contraction fähig. Nach meinen Beobachtungen an fünf Kaiserschnitten, worunter vier eigene, hat der durchschnittene Uterus weit dünnere Wandungen als z. B. ein intacter Post-partum-Uterus einer an Eklampsie oder Blutung zu Grunde Gegangenen. Ich beziehe die bedeutende Herabsetzung des Grades der Retraction und Contraction auf folgende Umstände:

1) Durchschneidung zahlreicher Nerven des Uterus.

2) Der Uterus verliert durch Spaltung seiner Wandung den Charakter als Hohlmuskel mit der Fähigkeit, sich concentrisch

zusammenzuziehen: daher die Leichtigkeit spontaner Inversion selbst placentarfreier Abschnitte. (Bei Abtragung des Uterus ohne vorangeschickten Medianschnitt, beim tiefen Querschnitte und Belassung des Uterus in situ besteht diese Fähigkeit nur noch zum kleinsten Theile.)

3) Herabsetzung des Turgor der Uteruswandungen, an Porro-Uteri infolge totaler Anämie, an Kaiserschnitt-Uteri infolge Herabsetzung der Blutspannung innerhalb der cavernösen Räume des Uterus.

So nimmt es denn gewiss nicht Wunder, dass in den Fällen Ahlfeld's und Barbour's keine Ablösung der Placenta und kein retroplacentarer Bluterguss zu erblicken war. Beide geben ja auch übereinstimmend an, dass ihre Uteri ungleiche Contraction dargeboten hätten; dass die durchschnittene, placentafreie Uteruswand sich stärker, die nicht durchschnittene placentatragende Wand sich schwächer zusammengezogen habe. Sie wurden aber doch nicht veranlasst, die damit verringerte Flächenreduction und die ganzen beobachteten Befunde überhaupt als pathologische anzusehen.

Ahlfeld erwähnt in seiner Beweisführung auch eines Falles von Sectio caesarea, die er Credé habe ausführen sehen, „bei einer an einem Varix Verblutenden". Die Darstellung lautet so, als sei dies an einer Viva oder Moribunda geschehen. In Wirklichkeit war es ein Kaiserschnitt post mortem, und ist es derselbe Fall, den ich zum Gegenstande einer Abhandlung über die „Cervixfrage" gemacht habe. [1]) Dass an diesem Uterus einer an Blutung Verstorbenen kein retroplacentarer Bluterguss vorhanden war, sei, sollte man denken, am allerletzten in einer Arbeit heranzuziehen, die das normale Auftreten eines solchen beweisen soll.

Nun gelange ich dazu, mich über Leopold's Angaben betreffs der Placentarlösung beim Kaiserschnitte zu verbreiten.

Leopold schreibt von seinem ersten Falle:

„Die interessanteste Beobachtung — — — stand nun bevor, nämlich die Ablösung der Placenta und Eihäute. — — — Eine sehr exacte Handcompression hielt den Uterus von oben und unten gut contrahirt. — — — Von den Rändern der Uteruswunde beginnend,

---

1) Dieses Archiv, Bd. XIV, S. 400. Aus der Placenta wurde damals kein Wesens gemacht.

liessen sich die Eihäute sowohl wie der Fruchtkuchen leicht von ihrer Basis abziehen, ohne dass auch nur eine irgendwie nennenswerthe Blutung erfolgt wäre. Im Gegentheil: während und nach der Trennung bedeckte eine zarte blassgraurothe Schleimhautschicht die ganze Uterusinnenfläche, welche auch an der Placentarstelle in nichts, weder durch angerissene grössere Blutgefässe, noch durch eine stärkere Blutung sich von der übrigen Innenwand unterschied; bei der Abtrennung aber bemerkte man, wie ihre Linie allenthalben in einer äusserst lockeren Schicht, gebildet von feinsten Hohlräumen und Scheidewänden, hinlief, einer Schicht, die nur der drüsige Theil der Decidua vera und Serotina sein konnte.

Von Leopold's zweitem und drittem Falle heisst es:

„Wie beim ersten Kaiserschnitte folgte nun als interessantester Theil die Ablösung der Nachgeburt und Eihäute. — — — Ein leichter Zug an den Eihäuten präparirte diese glatt von der Innenfläche ab und Aller Augen verfolgten, wie die Trennungslinie genau das Spinnennetzgewebe der Decidua auseinanderzog. — — — Derselbe Zug, nachhelfend mit der Spitze des Zeigefingers, trennte aber auch die Placenta spielend leicht von der Uterinwand ab und lief auch hier im Netzgewebe der Serotina hin, so dass ein gleich dickes graues Häutchen jederseits auf Nachgeburt und Uterinwand sitzen blieb. Und beachtete man dabei, wie auch hier auf der Placentarstelle (besonders des ersten Falles) nirgends grössere Gefässlumina angerissen wurden, noch stärkere Gefässblutungen erfolgten, so ist dieser Vorgang, der bei den drei von mir ausgeführten Kaiserschnitten bisher übereinstimmend beobachtet wurde, gewiss dazu angethan, unsere Vorstellungen von der Ablösung des Fruchtkuchens und der Beschaffenheit der Placentarstelle einer gründlichen Verbesserung zu unterziehen. Die Blutung aus der vollkommen glatten Placentarstelle war nur eine mässige und nur eine flächenhafte, nirgends ein Strom, der nur aus einzelnen dicken Venen hervorgequollen wäre, und allenthalben war die Placentarstelle von einem unverkennbaren zarten Reste der Serotina überzogen."

Hinzuzufügen ist noch, dass im zweiten Falle das Collum manuell, im dritten durch eine Gummischnur umschnürt worden war.

Ich kann nicht einsehen, wie auf Grund dieser Schilderung unsere Vorstellungen von der Ablösung des Fruchtkuchens u. s. w. einer „gründlichen Verbesserung" zu unterziehen sein sollen. Leopold hat in keinem Falle die spontane Lösung von Placenta und Eihäuten abgewartet, sondern dieselben mit den Fingern gelöst und abgezogen, wie am anatomischen Präparate. Dass die Trennung in der spongiösen Schicht der Decidua vor sich geht, ist seit den Untersuchungen von

Langhans, welche Leopold selbst bestätigte, allgemein an-
erkannt, und wurden diese durch die künstliche Ablösung der
Secundinae am Kaiserschnitt-Uterus auch nicht mehr gestützt, als
es durch die bisherigen anatomischen und klinischen Befunde
geschehen ist. Die früheren Kaiserschnittoperateure glaubten,
wenn sie die Nachgeburt lösten, die ganze Decidua mit zu entfernen: wir wissen, dass die unterste Schicht der Ampullaris deci-
duae sitzen bleibt, dass sie selbst durch ein Evidement nicht
ganz zu beseitigen wäre. Sollte diese bekannte und von Niemand
mehr bezweifelte Thatsache aber noch an einem Kaiserschnitt-
Uterus einer directen Beobachtung unterzogen werden, dann durften
die Secundinae nicht künstlich entfernt werden.

Leopold führt an, dass aus den Venen der Placentarstelle keine Blutstrahlen hervorquollen. Dies ist aber leicht
zu erklären. Ehe zur Ablösung der Nachgeburt geschrittten
wurde, hatte Contraction und Retraction des Uterus die Venae
utero-placentares geschlossen, das untere Uterussegment wurde
manuell oder mittels Gummischnur umschnürt; der Uterus
war zum Theil ausgeblutet; eine Atonie bestand nicht: woher
sollte da überhaupt eine Blutung kommen? Leopold
erwartete aus den grösseren Placentarvenen Blutstrahlen hervor-
schiessen zu sehen, gewahrte aber gar keine oder nur eine geringe flächenhafte Blutung, einfach aus den angegebenen Gründen
und weil die weiten, doch schon durch die Friedländer'sche Ante-
partum-Thrombose eingeengten Venen der Placentarstelle durch die
Reste der Serotina förmlich verhüllt werden. Erst wenn diese
sich im Wochenbette zum grössten Theile abgestossen haben,
können die Lumina der Placentarvenen frei zu Tage liegen. Hätte
Leopold die Reste der Serotina künstlich entfernt, etwa durch
Abkratzung, so hätte er wohl die Mündungen der Placentarvenen
zu sehen bekommen können. Die sogenannten „Placentarthromben"
sitzen durchaus nicht blos auf den freien Mündungen der Placentarvenen, sondern sind gewiss weit öfter einfache Blut- und Fibrin-
niederschläge auf den Flocken des Serotinarestes. Tritt eine Blutung an der Placentarstelle ein, so muss, am frischen Uterus,
das Blut stets das schwammige Maschengewebe der Serotina pas-
siren, wird also als diffuse Flächenblutung auftreten.

Wenn ich also zusammenfasse, so trat in den Fällen von
Ahlfeld und Barbour überhaupt keine Lösung der Placenta
und der Eihäute ein vor Allem mangels maximaler Contraction

des Uterus vor seiner Entfernung aus dem Körper und wegen
Absterbens des Uterus nach derselben. In den Fällen Leo-
pold's wurde die Lösung nicht abgewartet. Die von genannten
Autoren aus ihren Beobachtungen gezogenen Schlüsse können sich
nicht auf diese stützen, sondern basiren auf bereits bekannten
Verhältnissen.

Eine weniger einwurfsvolle Beobachtung der Lösungsvorgänge
der Placenta beim Kaiserschnitte könnte nur unter folgenden Bedingungen stattfinden:

.1) Beobachtung in situ und am nicht aus der Bauchhöhle
gehobenen Uterus.

2) Keine künstliche Blutabsperrung.

3) Die Placenta muss unverletzt sein.

4) Der Lösungsvorgang muss vollständig abgewartet werden.

5) Während der Uterus sich contrahirt, ist die Incisions-
wunde mit den Händen fest zu schliessen.

Wie schwer aus Gründen der operativen Technik diese Bedingungen einzuhalten sein werden, liegt auf der Hand. Unsere
Aussichten aus 'directen Beobachtungen beim Kaiserschnitte über
die beregten Vorgänge noch mehr zu lernen, als wir durch anato-
mische Forschungen und klinische Untersuchungen wissen und
noch erfahren können, kann ich also nach Allem nur als sehr
gering bezeichnen.

4) Blutstillung. Die Blutung beim Kaiserschnitt hat auf-
gehört gefürchtet zu werden, soweit sie von diesem abhängt.
Wir haben den Uterus buchstäblich in unseren Händen und ver-
fügen jetzt über ausreichende Mittel, die Blutung aus demselben
zu beherrschen. Diejenige aus den Schnitträndern steht nach
Extraction des Kindes für gewöhnlich sofort, wenn nicht grössere
Gefässe des unteren Uterinsegmentes eröffnet wurden. Gerade
aus diesen finden die gefährlichen Blutungen statt, denen, wenn
die Operateure nicht ein Mal eine Umstechung vornahmen, eine
oder mehrere Suturen anlegten, viele Frauen erlagen. Wie diese
Blutungen im vornherein durch richtige Abgrenzung des Schnittes
zu vermeiden seien, ist früher auseinandergesetzt worden (siehe
S. 27). Eine geeignete uterine Wundnaht — keine blosse „Blut-
stillungsnaht" — kann sie vollständig sistiren, auch wenn die
durchschnittene Uteruswand Sitz der Placenta war. Die Herauswälzung des Uterus aus der Bauchhöhle, welche vor·Entfernung
der Nachgeburt bewerkstelligt wird, wirkt infolge von Dehnung

und Abknickung der Gefässe allein schon bis zu einem gewissen
Grade blutstillend. Die manuelle Compression des unteren Uterinsegmentes und der Cervix oder die Blutabsperrung durch den
elastischen Schlauch hemmen die Blutung absolut sicher. Die
künstliche Blutleere wird angewandt, um die Lösung der Secundinae bequem, sauber und vollständig vorzunehmen, das Uterus-
cavum desinficiren und die uterine Wundnaht ungestört ausführen
zu können. Ist diese vollendet, so ist damit eine Blutung aus den Schnitträndern sicher ausgeschaltet:
der Uterus ist jetzt einem unverletzten Organe gleich-
zusetzen. Unter normalen Verhältnissen tritt nach Aufhören
der Blutabsperrung auch aus dem Cavum uteri keine eigentliche
Blutung auf. Die künstliche Blutleere wirkt befördernd auf die
Thrombenbildung, indem sie einer langanhaltenden festen Contraction des Uterus gleich zu achten ist. Das lange Verweilen
des Uterus ausserhalb der Bauchhöhle, die starken, ihn direct
treffenden Reize, inzwischen verabreichte Secalepräparate sichern
dauernde Contraction.

Erst wenn diese ausbleibt, was gerade beim Kaiserschnitt
selten ist — Beweis die vielen geheilten Fälle ohne Naht —,
wären die gewöhnlichen Mittel gegen atonische Post-partum-Blu-
tung anzuwenden, zu welchen sich noch solche gesellen können,
welche auf den geschlossenen Uterus direct von aussen applicirt
werden können: Massage, Eis, Elektricität; nach Schluss der
Bauchhöhle: Druckverband. Dass die Gefahr einer Blutung um
so geringer sei, je länger der Uterus ausserhalb der Bauchhöhle
gehalten wurde, wussten bereits ältere Kaiserschnittoperateure:
v. Ritgen hat ihn bis 1½ Stunden aussen gelassen und mit
Styptica bearbeitet. Ein Fall, wo die vervollkommnete Uterusnaht
die Blutung aus den Schnitträndern nicht sofort und dauernd
gestillt hätte, ist bisher noch nicht bekannt geworden. Da man
der vollständigen Ausräumung des Uterus beim Kaiserschnitte
sicherer ist, als bei Geburten per vias naturales, so hat man es auch
höchstens mit einer reinen Atonie zu thun, die sich nach Schluss
der Uteruswunde in nichts von derjenigen eines unverletzten Uterus
unterscheidet und ganz ebenso wie bei einem solchen behandelt
werden kann. Doch ist eben aus oben angeführten Gründen
Atonie des Uterus beim Kaiserschnitte etwas Seltenes und sind
aus der älteren Zeit genug Fälle bekannt, wo solche Blutungen
schon nach wenigen Suturen oder Ligaturen dauernd standen.

Dass die vervollkommnete Uterusnaht nicht blos die primäre Blutstillung aus der Schnittwunde prompt leistet, sondern auch eine secundäre Blutung in die Bauchhöhle ausschliesst, ist schon jetzt durch die Resultate an der Lebenden, wie auch durch die Sectionsergebnisse, welche die Uteruswunde nach der Bauchhöhle hin völlig geschlossen fanden, erwiesen.

P. Müller schrieb seiner Zeit[1]), als meine Nahtmethode allerdings noch nicht die praktische Feuerprobe bestanden hatte:

„Ein vollständiges Vertrauen zu seiner Naht scheint Sänger nicht zu haben, da er es noch für nothwendig hält, eine Reihe von Cautelen in Anwendung zu ziehen, welche die Operation sehr compliciren; ich erwähne beispielsweise nur die Maassregeln gegen Nachblutung bei bereits geschlossenem Uterus, worunter unter anderem auch die Massage und Faradisation der Gebärmutter empfohlen werden. Billig darf man wohl fragen: wie erkennt man rechtzeitig die Nachblutung in den Peritonealsack hinein nach Schluss der Abdominalhöhle?“

Nun, aus Allem, was ich früher und was ich jetzt schrieb, geht wohl zur Genüge hervor, dass ich das vollste Vertrauen zu meiner Naht gehabt habe und noch habe, denn es ist in praxi voll gerechtfertigt worden. Meine Darstellung bietet aber nicht die kleinste Handhabe für die Annahme, dass ich unter „Nachblutung“ etwas anderes meinte, als eine solche durch Collum und Scheide nach aussen, nicht aber durch die Nahtlinie in die Bauchhöhle. Ich bezog mich lediglich auf „Beherrschung der inneren Blutung“, die doch beim Kaiserschnitte ebenso gut vorkommen kann, wie bei einer gewöhnlichen Geburt. Ich schloss die Besprechung der Maassregeln gegen diese innere Blutung, indem ich schrieb: „ist die Uterinwunde fest und exact durch die Naht geschlossen, so wird die Blutung kaum einen anderen Charakter haben können, als bei unverletztem Uterus u. s. w.“ P. Müller hatte also keinen Grund, die von mir aufgezählten Maassnahmen gegen innere Blutung als solche hinzustellen, welche stets anzuwenden seien, und dies wegen fraglicher Haltbarkeit meiner Naht.

In einer Sitzung der Gesellschaft für Geburtshülfe zu Leipzig ist von Hennig die Frage aufgeworfen worden, ob die künstliche Blutleere beim Kaiserschnitte nicht Embolie der Lungenarterien begünstige. Es ist bis jetzt noch kein Fall ge-

---

1) l. c., S. 69.

meldet worden. Die Möglichkeit liegt aber vor, doch nur für solche Fälle, wo der Uterus nach Aufhebung der Blutsperre atonisch wird und die jetzt locker sitzenden Thromben der Placentarstelle in grössere Venen angesogen werden. In diesen selbst tritt durchaus keine Blutgerinnung ein: dieselbe erfolgt nach den Experimenten von Baumgarten und Senftleben sogar innerhalb einer doppelt unterbundenen Vene nicht, wenn diese in ihrer normalen Umgebung verbleibt. Das stärkere Einströmen arteriellen Blutes kann ebenfalls keine Thromben in Bewegung setzen, da aus bekannten Gründen der Choc der arteriellen Blutwelle gar nicht bis zu ihnen vordringen kann und mit Fortfall eines Theiles der Decidua serotina auch eine Brücke entfällt, welche zu den thrombosirten Venen hinüberführt.

Ueberdies darf man sich die Thromben der Placentarvenen durchaus nicht geradlinig oder nur leicht gebogen vorstellen: sie können nach deren Verlauf bis in das Stratum vasculare hinein nicht anders als zickzackförmig sein, wodurch ein Losreissen sehr erschwert wird.

Nach Allem brauchen wir mit der gemässigten Anwendung der künstlichen Blutleere, welche uns ungemeine Vortheile bietet, nicht ängstlich zu sein, es sei denn in Fällen von schwerer Atonie, wo man suchen kann, vor der Anwendung jener erst dieser Herr zu werden.

5) Innere Desinfection. Der durch Schnitt eröffnete Uterus lässt sich sammt Cervix entschieden leichter desinficiren resp. mit antiseptischen Mitteln behandeln, als von aussen her der geschlossene. Ist die der Operation unterworfene Kreissende nicht inficirt, sind ihre Genitalien gesund, so genügt es, wie ich gethan, die offene Uterushöhle mit etwas Jodoform einzureiben und davon auch in die Cervix hinabzuschieben. Allenfalls könnte man vorher die Utero-Cervicalhöhle mit kleinen, in Sublimat $1^0/_{00}$ oder 5 proc. Carbolsäure getauchten Schwämmen, oder Wattewiecken, oder Mullstreifen auswischen. Dabei müsste man sich aber in Acht nehmen, die Schnittränder zu benetzen, da durch die Anätzung seitens der starken Antiseptica die prima reunio zum Theil vereitelt werden kann.

Häufen sich in der Folge die Fälle von Kaiserschnitt, so wird man sicherlich dahin kommen dann, wenn die Genitalien, speciell das untere Uterinsegment und die Cervix, durch Quetschungen, Risse, durch frische Infection noch oberflächlicher Verletzungen gelitten haben, von der Uterusschnittwunde her energisch desinficirend einzuwirken: wir können von dieser aus mit Leichtigkeit Aetzungen, Spülungen, Tamponaden ausführen; eventuell natürlich auch drainiren. Namentlich für die Spülungen obwalten die günstigsten Bedingungen, da der Abfluss der Flüssigkeiten gesichert ist. Eine besondere Detaillirung der hier in Frage kommenden Technik wird kaum nöthig sein.

6) Uterusnaht. Der von mir aufgestellte Grundsatz, dass die Uteruswunde beim Kaiserschnitte überhaupt und wie Wunden anderer Organe von glatter Muskulatur und seröser Oberfläche mit zahlreichen Suturen musculo-musculär und sero-serös genäht werden müsse, ist theoretisch auf keinerlei motivirten Widerstand gestossen. Noch immer rufen aber Viele nach der so lang gesuchten sicheren Uterusnaht, welche von diesem Princip entweder noch nichts vernommen haben, oder welchen es nichtvertrauenswürdig genug dünkt, um es selbst praktisch zu erproben, bis weitere Verbesserungen und Vereinfachungen getroffen seien.

Woran die Vorschläge und Versuche Früherer, des Martino d'Avanzo, Dusart, Cazin, van Aubel, welche ebenfalls erkannt hatten, dass symperitoneal genäht werden müsse, scheiterten, ebenso wie Einzelne (Simon Thomas, Lungren, Baker) der Lösung des Principes nahe kamen, habe ich in meiner „Geschichte der Uterusnaht" auseinandergesetzt. Von den vier Hauptpunkten meiner eigenen, die physiologischen Eigenthümlichkeiten des Uterus berücksichtigenden Nahtmethode:

1) strenge Antisepsis,
2) zahlreiche Suturen in kurzen Abständen, als tiefe seromusculäre ($^1/_3$ —) und oberflächliche sero-seröse Falznähte ($^2/_3$ der Gesammtzahl und mehr),
3) Freilassung der Decidua,
4) nicht oder schwer resorbirbares Nahtmaterial (Silber, Seide), bis ein zuverlässiges, animalisches und in angemessener Zeit resorbirbares gefunden sei,

war Punkt 2 am schwersten einzuhalten. Ich suchte dies zu erreichen zunächst durch Einschaltung einer anscheinend etwas radicalen Maassregel, der Hinwegnahme von so viel Muscularis uteri, dass die Einfalzung der Serosae nunmehr leicht geschehen konnte, der Unterminirung der Serosae und subperitonealen Resection der Muscularis. Die Resection erschien aber nur nothwendig in Fällen, wo die serösen Ränder weit nach

aussen zurückgewichen waren und ein Heranziehen, sowie Einfalzen derselben unmöglich sein musste. Unter allen Umständen
musste sie das bequemste Mittel sein, die sero-seröse Falznaht
ausführen zu können ohne nennenswerthen Zug an den Wund-
rändern, also ohne Störung für die Gleichgewichtslage der Gewebe.

Ueber das Quantum der Resection konnte ich früher
präcise in Zahlen ausgedrückte Vorschriften nicht geben, doch
war ich stets für Abtragung schmaler Stücke. Erst jetzt, nach meinem eigenen Falle, kann ich sagen, dass die Breite der resecirten Stückchen Muscularis 2 mm nicht zu über-
steigen braucht, während die Unterminirung der Serosae nicht tiefer als 4 mm gehen soll. In den drei
Fällen Leopold's, wie in dem Beumer's wurde Unterminirung und Resection viel ausgiebiger gemacht.

In der letzten Publication Leopold's, wo er seinen zweiten
und dritten Fall beschreibt, wird die Breite der resecirten Scheibe
auf 1 cm angegeben, also für beide Seiten zusammen auf 2 cm.
Leopold hat ganz Recht zu sagen, dass es für den Uterus doch
nicht gleichgültig sein könne, ein Stück seiner vorderen Wand
von 2 cm Breite zu missen. Ich selbst habe aber nirgends
angegeben, so viel zu reseciren, und habe höchstens
0,4 cm, also fünf Mal weniger weggenommen. „Der im jung-
fräulichen Zustande circa 6,5 cm lange Uterus misst am Ende der
Gravidität 35 cm in Länge, 24 cm in Breite und 23 cm in Tiefe;
die Höhle ist 519 Mal vergrössert, das Gewicht 24fach vermehrt
(siehe Spiegelberg, Lehrbuch)." Die Länge des eben entbundenen Uterus kann, mit Zugrundelegung der Angaben desselben
Autors auf 20 cm, die grösste Breite auf 12 cm angenommen
wnrden. Was hat bei solchen Maassen und Dimensionen der Verlust eines Streifens von höchstens 10 cm Länge und 0,4 cm Breite
zu bedeuten? Nach sehr reichlicher Berechnung kommt dieser
Streifen am völlig rückgebildeten Organ einem solchen von 4 cm
Länge und 0,16 cm Breite [1]) gleich. Einem solchen Defect — eine
bis zu einem gewissen Grade mögliche Regeneration ganz bei
Seite — kann der Uterus mit Leichtigkeit mehrmals vertragen.

------

1) $10 : 20 = 2$.
   $2 : 8$ ($=$ normale Länge des Uterus) $= 4$.
   $0,4 : 12 = 0,3$.
   $0,3 : 5$ (Fundusbreite) $= 0,16$.

Die Masse des resecirten Stückes ist aber gewiss noch niedriger anzuschlagen, als vorstehende Berechnung ergiebt, da die Resection nicht an einem fest contrahirten, sondern an einem mehr minder schlaffen, dünnwandigen Uterus vorgenommen wird.

Lazarewitsch[1]) meinte, die Resection vermehre das Klaffen der Uterinwunde und hindere das Zusammenstossen der Decidualränder und damit die Heilung. Das möchte vielleicht der Fall sein, wenn nach der Resection nicht genäht würde. So aber sorgt gerade diese dafür, dass nicht blos die Decidualränder, sondern die ganzen Schnittflächen, gleich als wären sie angefrischt und einander parallelisirt, durch die nachherige Naht in gleichmässiger Weise zusammengebracht werden.

Wie breit die Schnittwunde klafft, ist ganz gleichgültig, da die Naht dieses Klaffen sicher und völlig aufhebt. Dass übrigens die Heilung der Uteruswunde dann nicht von der Decidual-, sondern von der Serosaseite her erfolgt und erfolgen muss, habe ich überzeugend nachgewiesen, und ist dies auch durch neuere Sectionsbefunde (Beumer, Garrigues) bestätigt worden.

Was die technische Ausführung der Resection anbelangt, so hatte ich ursprünglich gerathen, von der Decidua nach der Serosa hin die Muscularis abzutrennen und dann die Serosa unter Ablösung der Muskelscheibe zu unterminiren. Leopold verfuhr in seinen Fällen umgekehrt: er unterminirte erst die Serosae und resecirte dann die Muscularis. Wie ich schon früher auseinandersetzte (dieses Archiv, Bd. XX, S. 304), mag dies zweckmässiger sein, ist aber doch eine ganz belanglose Sache, denn der Endeffect ist der gleiche, mag man so oder so reseciren. Leopold nannte aber diese geringfügige Variation eines Theiles der Gesammtoperation „eine ihm wichtig erscheinende Modification", dann nach Fall 2 und 3 „eine wichtige Verbesserung", endlich wird von der „Leopold-Sänger'schen Manier des Kaiserschnittes" gesprochen. Wenn ich nun Leopold von jeher dankbar das Verdienst zuerkannt habe, der Erste gewesen zu sein, welcher nach meiner Methode zu operiren wagte und ihr auch in der Folge treu blieb, so muss ich doch mit Anderen dagegen Einspruch erheben, dass seine „Modification" so wichtig sei, um sie als wesentliche

---

1) Verhandlungen des internationalen medicinischen Congresses in Kopenhagen 1884. Discussion. Siehe den Bericht von Sänger, dieses Archiv, Bd. XXIV, S. 2.

„Verbesserung" meines Kaiserschnittverfahrens, das bei steter Einhaltung seines Grundprincipes ganz selbstverständlich verschiedene
Varianten zulässt, gelten zu lassen. Zudem glaubt Leopold das,
was er an meiner Methode verbessert zu haben meint, jetzt
wieder entrathen zu können: in seinem vierten Falle hat er nur
unterminirt, nicht resecirt; in seinem fünften Falle, nach eigener
Mittheilung, hat er weder das eine, noch das andere gethan,
sondern sogleich die Uterusnaht vorgenommen, aber er hat auch
in diesen beiden Fällen ebenso wie in den früheren meine Naht-
methode eingehalten, somit, da diese und nicht etwa die Resection die Hauptsache ist, stets nach den von mir begründeten
Principien operirt. Wo die Wunde wenig klafft, nicht prisma-
tisch ist, sondern parallele Ränder zeigt, wo die Serosae sich
nicht nach aussen retrahirt haben, sondern ohne Zerrung sich
nach innen umbiegen lassen, habe ich stets die Resection für
nicht nöthig und eine enge Uterusnaht für ausreichend erachtet, doch
auch hier so, dass die oberflächlichen Nähte das Peritoneum fläche n-
haft vereinigten, was am einfachsten nach Lembert durch doppelte
Durchstechung je eines Wundrandes geschieht. Es kann sehr wohl
sein, dass das Resectionsverfahren ganz entbehrlich wird, trotzdem
es sich bewährt hat. Ich habe auch diesbezügliche Untersuchungen
angestellt, von denen ich weiter unten berichten werde (S. 48).
Aber, so sehr im Bezug auf die Zurüstung zur Naht bisher
variirt worden ist, so wenig geschah dies mit der Uterusnaht
selbst. Beides ist wohl auseinander zu halten. Auf die flächenhafte, wenn dabei auch noch so schmale Vereinigung der Serosae
legte ich das meiste Gewicht und thue dies auch jetzt noch angesichts einer dieselbe verwerfenden Aeusserung von Schröder[1]),
auf welche ich in Anbetracht der Wichtigkeit des Gegenstandes
nicht blos für die Amputatio uteri myomatosi supravaginalis, sondern gerade für den Kaiserschnitt, ja die Uteruschirurgie überhaupt, etwas näher eingehen muss.

Zur Vertheidigung der symperitonealen Falznaht.

Schröder sagt: „Gegen die Sänger-Leopold'sche Falznaht möchte ich mich entschieden aussprechen. Dieselbe ist von der
Darm- und Blasennaht hergenommen. Bei diesen Organen ist man

---

1) Verhandlungen der Gesellschaft für Geburtshülfe und Gynäkologie zu
Berlin. Centralblatt für Gynäkologie 1885, Nr. 4. Discussion über den Vortrag von A. Martin: „Ueber Stielversorgung nach Myomoperationen".

genöthigt, um genügend breite Wundränder zu haben, auf die Serosa überzugreifen, man näht die Peritonealränder aneinander als Ersatz der mangelhaften Wundfläche. Für vollständig falsch aber halte ich es, wenn man für die glatte frische Wundfläche Peritonealflächen substituirt. Was heilt denn besser zusammen, frische Schnittwunden oder Peritonealflächen? Wir wissen, dass die ersteren, wenn wir infectiöse Keime abhalten und für sicheres Aneinanderlegen sorgen, stets heilen. Es giebt keine besseren Chancen für die prima intentio. Andererseits wissen wir, dass zwei aneinanderliegende Peritoneal-flächen nicht mit einander verheilen. Ein ganzes Menschenleben lang können sie aneinander liegen, ohne zu verkleben, und das ist er-klärlich, denn sie haben ein cubisches Epithel, welches die Vereini-gung hindert. Nun gebe ich ja zu, dass beim Nähen dieses Epithel vielleicht zerstört wird, dass ein solcher Reiz dabei gesetzt wird, dass die serösen Flächen mit einander verkleben, aber man soll doch nicht sagen, dass sie leichter verkleben, als frische Wundflächen. Dass dies nicht der Fall ist, davon glaube ich mich auch hinläng-lich direct überzeugt zu haben.

Wenn man nach Entfernung grosser Tumoren die schlaffe Bauch-wand durch Matratzennähte seitwärts kielartig zusammennäht, so wei-chen die beiden Seiten, wenn die Nähte am zehnten Tage entfernt sind, sehr bald wieder auseinander. In einem Falle, in dem ich wegen diffuser Blutung aus dem entzündeten Darme genöthigt war, sechs Stunden nach der Ovariotomie die Bauchhöhle wieder zu öffnen, fand ich die Bauchdecken innig, die Peritonealränder kaum mit ein-ander verklebt. Deswegen halte ich jede Naht, welche für frische Wundränder wenigstens theilweise eingefalztes Peritoneum substituirt, nicht blos für unnöthig, sondern für principiell falsch."

Soweit Schröder, den ich mit Absicht so ausführlich citirt habe, um in meiner Entgegnung an Einzelheiten seiner Auslas-sung anknüpfen zu können.

A. Martin, als von Schröder mit angegriffen, führte diesem gegenüber aus, dass er „keineswegs das Peritoneum in die trichter-förmig ausgeschnittene Fläche des Stumpfes umlegen wolle. Sein Verfahren besteht vielmehr darin, dass er nach inniger Verbindung der einander gegenüberliegenden Wundflächen durch tiefgreifende, unter der ganzen Wundfläche hinziehende Suturen die zwischen diesen sich wulstenden Interstitien so vernäht, dass hier das Perito-neum also nur in der oberflächlichen Zone der Wundflächen ein-gefalzt wird. Auf diese Weise erfolgt die vollständige Ueberhäutung und der innige Verschluss der Wundränder leichter und unter Bei-hülfe einer geringeren Zahl von Suturen."

Schröder anerkannte darauf, dass „sein Einwand gegen die von A. Martin vorgeschlagene Art der Ueberhäutung nach der wei-teren Beschreibung derselben hinfällig sei".

Die Discussion bezieht sich allerdings eigentlich nur auf die
Nahtversorgung des Stumpfes bei der supravaginalen Uterusamputation wegen Myom.

Was zunächst diese anbelangt, so darf ich hier wohl an-
geben, dass ich selbst von sechs Fällen der Art keinen verloren
habe: in den ersten vier wurde die elastische Ligatur mitver-
senkt, in den letzten beiden nicht mehr. Nächst der gelungenen
Asepsis, der Desinfection und Verschliessung der eröffneten Uterushöhle u. s. w. möchte ich denn doch meiner symperitonealen Falznaht mit ein Verdienst an dem ausnahmslosen Gelingen der Heilung zuschreiben. Von einer tiefen Einfalzung oder gar Zwi-
schenschiebung vom Peritoneum zwischen die Muscularis kann
dabei keine Rede sein: selbst wenn man einen grossen Ueberschuss an Serosa stehen liess, trat doch noch so starke Retraction ein, dass das mittels zweier Pincetten eingefalzte, flächenhaft
aneinanderliegende Peritoneum oberhalb der fest aufeinander
gepressten Muscularis hielt, aber eben nicht lineär, sondern flächenhaft vereinigt. Um diese flächenhafte Verei-
gung noch inniger zu machen, wurde häufig das schon vernähte,
aber da und dort noch klaffende Peritoneum durch jeden Wund-
rand doppelstichig, also nach Lembert, zusammengezogen. Wie
ich später zeigen werde, lässt sich nämlich eine tiefe Knopfnaht
nicht mit einer oberflächlichen Lembert'schen Naht combiniren,
derart, dass man mit einem Faden auskäme, sondern man muss
die tiefe und die oberflächliche, sero-seröse Naht jede für sich
anlegen. Wenn nun die Aufgabe besteht, den Stumpf mit Peritoneum zu überkleiden, so geschieht dies doch unstreitig voll-
ständiger mittels einer Naht, welche einen gewissen Ueberschuss
von Peritoneum flächenhaft, als mit einer solchen, welche das
letztere nur lineär vereinigt. Es soll doch weder ein peritonealer
Defect bleiben, noch ein solcher später entstehen. Bei der lineären
Vereinigung sucht aber das Peritoneum sich in einer dieser ent-
gegengesetzten Richtung zurückzuziehen: die symperitoneale
Falznaht soll diese Retraction verhindern. So lange
die Suturen liegen, welche gleichsam die Centren darstellen, von
welchen aus die Flächen mit einander verkleben, verwachsen,
müssen diese auch mit einander in Contact bleiben: selbst wenn
dann später eine Verflachung dieser symperitonealen Verwachsung
einträte, bliebe dann doch sicher eine vollkommen lineäre Vereinigung bestehen; die Falznaht sichert unter allen Um-

ständen die Lineärnaht. Da der Uterusstumpf sich aber stetig verkleinert, so wird jene Verflachung nur insoweit eintreten, als sich das Peritoneum an der allgemeinen Einschrumpfung betheiligt.

In vorstehender Darlegung setzte ich schon voraus, dass flächenhaft vernähte Serosae auch flächenhaft verwachsen. Indem Schröder dies leugnet, exemplificirt er auf die Flächenvernähung der Bauchwand. Das Peritoneum visceraler Organe wie des Uterus verhält sich aber ganz anders wie das Peritoneum parietale der vorderen Bauchwand. Hier werden die Suturen nach kurzer Zeit herausgenommen, die verklebten Partien durch den intraabdominalen Druck, durch Dehnung wieder auseinander getrieben: der Uterusstumpf, der Kaiserschnitt-Uterus behalten ihre Nähte, verkleinern sich stetig, wodurch sich die allenfalls vorhandene Spannung der flächenhaft vereinigten Peritonealränder mindert, ohne dass sie ihren Contact irgend verlieren. Die Haltbarkeit aber auch der symperitonealen Flächenvereinigung des Peritoneum parietale stellt Schröder entschieden zu gering hin. Das doch durchaus nicht so seltene Aufklaffen der Bauchwunde bei Laparatomien macht so gut wie immer gerade beim Peritoneum Halt. Ich habe einen Fall erlebt, wo die Bauchwunde wegen Ileus im Anschluss an eine Pyosalpinxoperation auf 4 cm Breite auseinandergezogen wurde: der Bauch war zum Platzen aufgetrieben, und doch hielt das Peritoneum der Nahtlinie, obwohl die Suturen entfernt waren.

Handelt Schröder consequent, so müsste er jetzt die Spencer Wells'sche Methode der Bauchwandnaht aufgeben und zu denjenigen von Koeberlé übergehen, welche das Peritoneum parietale gar nicht mitfasst. Schwerlich wird er sich aber des Vortheiles der ersteren begeben wollen. Fasst man aber das Peritoneum parietale überhaupt in die Naht, gleichviel ob man zugleich die ganze Dicke der Bauchwunde einbezieht oder wie Baké das Peritoneum für sich und die übrigen Theile der Bauchwand für sich näht, so ist es ganz unmöglich, das Peritoneum lineär zu schliessen, ebensowenig wie am Darme: es wird, wenn auch nur leicht, sich stets einfalzen. Der Darm aber wird symperitoneal genäht, nicht nur, um „genügend breite Wundränder" zu haben, sondern auch weil der Chirurg sich gerade auf die Zusammenheilung der durch Naht vereinten Serosae absolut verlassen kann und muss.

Das kubische Epithel des Peritoneum ist durchaus kein Hinderniss für flächenhafte Verklebung. Das Peritonealepithel geht bei Operationen und in deren Bereiche ungemein leicht zu Grunde, theils durch die Abkühlung und Entblössung, theils durch mechanische Einwirkungen: z. B. durch Wischen mit Schwämmen, Darüberstreichen mit Instrumenten und dergleichen, durch chemische Einflüsse (Antiseptica) u. s. w. Das von Epithel entblösste Peritoneum verhält sich aber ganz wie angefrischtes Gewebe. Wie leicht zerstören nicht schon geringe Grade von Entzündung, von Peritonitis das Epithel für immer! Dass sogar intactes Peritoneum viscerale mit einer bindegewebigen Wunde entstanden, durch Abtragung von Peritoneum parietale, sofort verklebt, und zwar ohne Dazwischenkunft einer wirklichen Entzündung bei aseptischem Verlaufe, habe ich klinisch wie experimentell nachgewiesen. [1]) Wenn nun aber die genannten Einflüsse nicht genügten, symperitoneale Verklebung und Verwachsung herbeizuführen: was wäre leichter als diese zu erzielen, dadurch dass wir durch Abschaben des Epithels mit dem Scalpell eine Art Anfrischung bewirken? Man hat dies aber bisher nicht für nöthig gehalten, da die prima reunio sero-serös vernähter Flächen, namentlich von Organen, wo keine abnormen Druck- und Spannungsverhältnisse bestehen, durch reactive Peritonitis sicher zu Stande kommt.

Die blosse Naht genügt, um peritoneale Flächen in beliebiger Ausdehnung zu rascher Verklebung und Zusammenheilung zu bringen. Um dies zu zeigen, machte ich in Gemeinschaft mit Herrn Dr. Hösel einige Thierversuche.

An Kaninchen wurden zwei Dünndarmschlingen durch Lembert'sche Nähte mit feiner Seide derart aneinandergenäht, dass zwischen den Suturen ein Zwischenraum von 1,5 cm blieb; oder es wurde die Magenwand zu einer Doppelfalte erhoben und deren Ränder zusammengenäht. Schon nach 18 Stunden fand sich, und zwar nur auf die vernähten Stellen beschränkt, feste Verklebung, nach drei Wochen waren auch die Seidenfäden resorbirt, die Därme lagen aneinander als ob sie von jeher organisch mit einander verbunden gewesen wären.

Soviel zur „Ehrenrettung" des Peritoneum überhaupt. Warum sich die Serosa der Blase, des nicht schwangeren und schwan-

---

1) Ueber desmoide Geschwülste der Bauchwand u. s. w. Dieses Archiv, Bd. XXIV, S. 22.

geren Uterus in Bezug auf Verwachsungsfähigkeit anders verhalten soll, als die Serosa der Gedärme, ist absolut nicht ein-
zusehen. Gesetzt, es wäre so, dass bei der Amputatio uteri
fibrosi supravaginalis durch tiefe Einfalzung des Peritoneum „für
die glatten frischen Wundflächen Peritonealflächen substituirt"
würden, so ist nach dem im Vorhergegangenen Gesagten klar,
dass auch dann der primären Verheilung sämmtlicher Schichten,
wofern sie nur, was ja der Fall, durch Nähte aneinander fixirt
sind, nichts im Wege steht. In Wirklichkeit werden aber den
muskulären Wundflächen keine Peritonealflächen substituirt, die
Einfalzung geht gar nicht so tief herab, sondern die eingefalzten
Peritonealwundränder sollen, wie A. Martin dies auch Schröder gegenüber hervorhob, nur zur Deckung der fest aufeinander
genähten muskulären Wundflächen dienen. In den Leopold'-
schen Abbildungen sowohl zur supravaginalen Uterusexstirpa-
tion[1]), wie zum Kaiserschnitt[2]), ebenso in der Abbildung[3]) von
Fehling sind die eingefalzten Serosae viel zu tief herabragend
gezeichnet, so tief, wie ich weder glaube, dass sie von ihnen
wirklich eingefalzt worden sind, noch wie ich selbst dies je gethan habe.

Dass ich diese (namentlich in der Zeichnung) zu breite Einfalzung, die zu breite Resection der Muscularis verwerfe, habe
ich früher auseinandergesetzt.

Daher trifft Schröder's Vorwurf von der Substituirung fri-
scher Wundflächen durch Peritonealflächen für meine Uterusnaht-
methode beim Kaiserschnitte, um deren Vertheidigung es mir
hauptsächlich zu thun ist, obwohl Schröder sie nur indirect
mit angreift, nicht zu.

Von allem Anfange an habe ich gesprochen nur von einer
die ganze Dicke der Uteruswand fassenden scro-musculären Gesammtnaht und einer oberflächlichen sero-serösen Deck-
naht. ·Es kann somit keinem Zweifel unterliegen, dass der letzteren nur die Bedeutung zukommen sollte, die Schnittwunde ober-

---

1) 30 Laparatomien u. s. w., dieses Archiv, Bd. XX, S. 99. Hier beträgt die eingefalzte Strecke $\frac{1}{3}$ der Höhe des Stumpfes.

2) l. c., dieses Archiv, Bd. XIX, S. 408 u. Bd. XXIV, S. 432. Nach
den Zeichnungen beträgt die Strecke der eingefalzten Serosa fast die Hälfte
der Dicke der Muscularis!!

3) l. c., S. 13. Hier beträgt die eingefalzte Serosastrecke $\frac{2}{3}$ der
Wandstärke!·

flächlich mit Peritoneum zu decken und abzuschliessen. Die peritoneale Deckung derselben ist aber bei einer lineären Naht des Peritoneum keine so vollständige und sichere als bei der über einen gewissen Ueberschuss verfügenden Falznaht, welche am Kaiserschnitt-Uterus mit seinen Volumenschwankungen auch besser zu widerstehen geeignet ist.

Wohl kann die Uteruswunde, wenn nur dicht genug genäht wird, ohne Resection von Muscularis und ohne Peritonealeinfalzung heilen, aber die Heilung geht, wenn man sich dieser beiden Maassnahmen bedient, wie ich theoretisch gezeigt zu haben glaube und praktisch erprobte, leichter und sicherer von Statten, ohne Nachtheile in sich zu schliessen. Ich stehe daher nicht an zu sagen, **dass das Aufgeben der Symperitonealnaht mit geringer Einfalzung des Peritoneum für die Technik des Kaiserschnittes einen Rückschritt bedeuten würde.**

Neuere Nahtversuche. Zur Prüfung der Frage, wie die Symperitonealnaht ohne Resection am geeignetsten auszuführen sei, habe ich an Uteri von kurz nach der Entbindung an Eklampsie oder Ruptura uteri Verstorbenen weitere **Nahtversuche** angestellt mit folgenden Ergebnissen:

1) Die Serosa uteri lässt sich mit Pincetten vom Schnittrande her gefasst bis nahezu 1 cm ausziehen, jedoch nur unter gleichzeitiger Verdünnung. Nach Aufhören des Zuges kehrt sie etwa mit zwei Drittel der ausgezogenen Breite wieder in eine Ruhelage zurück. Es ist anzunehmen, dass diese Retraction an der Lebenden stärker ausfällt, da hier die Gewebe nichts von ihrer Elasticität eingebüsst haben. Bei einfacher sero-seröser Naht mit nur einmaliger Durchstechung je eines Wundrandes gelang die Einfalzung weniger gut als bei zweimaliger Durchstechung, wie bei der Darmnaht nach Lembert.

2) Wurde die Serosa 1 mm unterhalb der Oberfläche auf 5 mm Tiefe unterminirt, so liess sich das abpräparirte Stück Serosa plus einer nächst angrenzenden schmalen, nicht unterminirten Partie der Serosa 1 cm und mehr herausziehen, doch war dann die Verdünnung auch eine stärkere als wenn nicht unterminirt wurde, als wenn die Serosa mit der Muscularis im Zusammenhange blieb. Die Falznaht mit einfacher und doppelter Durchstechung des Wundrandes stülpte die Serosae nur wenig mehr ein als in Versuch 1.

In ähnlicher Weise ist jüngst von Fehling bei seinem Falle von Kaiserschnitt ante mortem verfahren worden. Er löste die Serosa durch Unterminirung bis zu 2 cm Tiefe ab, dann vereinigte er die Wunde durch weitumgreifende sero-musculäre Gesammtnaht, während er die abpräparirten Lappen der Serosa nach Lembert für sich nähte. Eher kann die Art und Weise der Ablösung und Naht der Serosae als nach van Aubel bezeichnet werden, welcher ein gleiches Verfahren, nur unter Weglassung der musculo-musculären Naht und mit Naht der Serosa nach Gély, schon 1862 vorgeschlagen hat, wie ich in meiner Monographie (S. 161) anführte. An dieser von Aubel-Fehling'-schen Modification habe ich auszusetzen:

1) Die Unterminirung geht viel zu weit nach aussen.

2) Die abgelösten Serosae werden nur für sich genäht, so dass leicht zwischen ihnen und der Muscularis Taschen und Falten entstehen, die sich mit Blut füllen können.

3) Die Einfalzung der Serosae ist viel zu tief.

4) Die zur sero-serösen Naht verwendeten Seidenfäden kommen zu tief sowie zwischen Serosa und Muscularis zu liegen, ohne diese mitzufassen. (In Fig. IV ist die Lage der oberflächlichen Nähte von Fehling falsch gezeichnet.)

Zu tiefe Unterminirung ist sicher ebenso verwerflich als zu breite Resection. Ich halte eine Unterminirung von höchstens 0,5 cm beiderseits für völlig ausreichend, schon des Schröder'-schen Einwandes wegen.

3) Ritzte man in einer Entfernung von 0,3 bis 0,4 cm vom Wundrande die Serosa durch einen feinen, nur diese durchtrennenden

Fig. 7.

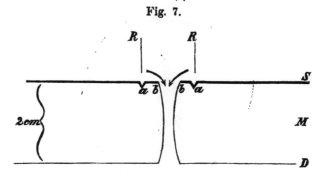

R = Ritzstelle.

a—b = die zur Umbiegung kommende Strecke, 0,3 cm.

Schnitt und zog dann an dem freien Rande der Serosa, so liess sich dieselbe leichter und breiter herausziehen, leichter nach innen

4

umbiegen und einfalzen, als bei den Versuchen sub 1 und 2. Wurde
nun so genäht, dass nach aussen von dem Ritze in der Serosa (R)
ein- und ausgestochen wurde, so legten sich diese ausgezeichnet aneinander, selbst bei nur einfacher Durchstechung lateral von R,
besonders bei tiefer musculo-musculärer Naht, noch besser aber,
wenn auch hier wieder je zwei Mal durchgestochen wurde.

Fig. 8.

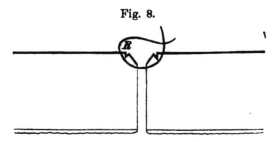

Einfache oberflächliche sero-seröse Naht mit Einfalzung.

Fig. 9.

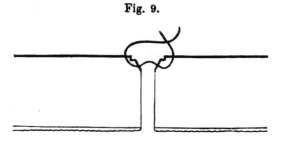

Oberflächliche Naht nach Lembert.

Fig. 10.

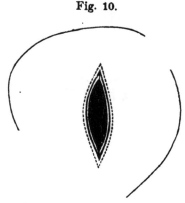

Die punktirte Linie bezeichnet die Ritze parallel den serösen Schnitträndern.

Diese Methode, welche ich als „Umbiegungsnaht" bezeichnen möchte, hat Aehnlichkeit mit gewissen Verfahren der

Dermatoplastik. In seinem ersten Falle von Kaiserschnitt mit
tiefem Querschnitt des Uterus nähte auch Kehrer[1]) unter Be-
nutzung der Verschieblichkeit des durch Schnitt losgelösten Peritoneum, doch sonst völlig verschieden von meiner eben beschrie-
benen Methode. Die durchschnittene Uteruswand wurde zuerst
durch sechs tiefe, das Bauchfell mitfassende Nähte geschlossen,
dann dicht neben den Stichen das Bauchfell parallel der Wunde
durchgeschnitten, etwa 1 cm breit von der Unterlage abgelöst und
die so verschieblich gewordenen Peritonealränder oberhalb der
bereits vereinigten Muskelwunde durch zwöf Suturen für sich
vereinigt.

Diese Methode Kehrer's halte ich für den vorderen Medianschnitt für nicht geeignet, weil hier das Peritoneum fest an-
haftet, also nur durch Schnitt und auch zu weit nach aussen
abgelöst werden müsste, sowie weil zwischen der tiefen und der
oberflächlichen Naht ein „todter Raum" gebildet würde.

4) Es galt nun auch zu prüfen, ob sich eine musculo-musculäre
und sero-seröse Falznaht zugleich ausführen lasse, ob es möglich
sei, die tiefe und oberflächliche Naht mit einem Faden vorzunehmen.
Zuerst wurde die Fadenführung wie in Fig. 11 versucht. Sie ist
zu verwerfen, da die Fadenenden in die Nahtlinie zu liegen kämen.

Fig. 11.

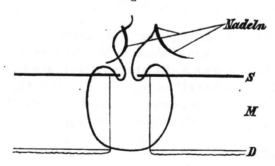

Bei Fadenführung wie in Fig. 12 wurde zwar seitlich geknotet
(bei *K*), doch käme der Faden zwischen die eingefalzten Serosae zu
liegen. So blieb als allein mögliche Lösung einer Combination der
tiefen und oberflächlichen Naht eine Fadenführung wie in Fig. 13.
Dabei musste aber nicht weniger als acht Mal ein- und ausgestochen
werden. Zog man die Faden mässig kräftig an, so rückten sie
nicht von der Stelle, und zog man stark an, so schnitten sie durch.

---

1) Ueber ein modificirtes Verfahren beim Kaiserschnitte. Dieses Archiv,
Bd. XIX, S. 190.

Es ergab sich also, dass eine uterine Gesammtnaht, welche gleichzeitig sero-seröse Falznaht sei,
mit einem Faden nicht ausführbar ist, sondern dass
tiefe und oberflächliche Naht getrennt angelegt werden müssen, wie es bisher geschah.

Fig. 12.

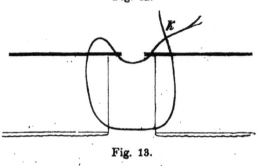

Fig. 13.

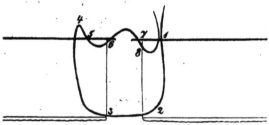

Es ergiebt sich weiter, dass, abgesehen von der Differenz
zwischen Linearnaht und Falznaht des Peritoneum, Princip
und Ausführung der Naht stets gleich sind, verschieden nur die Vorbereitungen dazu. Die für die Anwendung in viva brauchbaren und rationellen Nahtmethoden gruppiren sich demnach wie folgt:

Vorbereitung.	Naht.
1) Vorziehen der Serosa mittels Pincette.	Tiefe Naht (durch die gesammte Uterus-wand, ausgenommen die Decidua. Serosa je ein Mal durchstochen). a) Oberflächliche Lineärnaht. b) Oberflächliche minimale Falznaht des Pe-ritoneum (mit ein- oder zweimaliger Durchstechung).
2) Einfache Unterminirung der Serosa.	Tiefe Naht (Serosa je ein Mal durchsto-chen). Oberflächliche sero-seröse Falznaht (Se-rosa je zwei Mal durchstochen.).

Vorbereitung.	Naht.
3). Umbiegung der einge-ritzten Serosa.	Dieselbe Methode („Umbiegungsnaht").
4) Unterminirung der Se-rosa und Resection der Mus-cularis.	Dieselbe Methode.

Wir haben somit vier Methoden der Vorbereitung und zwei der oberflächlichen Naht, welche zur Wahl stehen: die tiefe musculo-musculäre Naht bleibt sich stets gleich. Ich gebe unbedingt der symperitonealen Falznaht den Vorzug gegenüber der Lineärnaht; was die Vorbereitung anbelangt, so habe ich von der geringen Resection durchaus nichts Nachtheiliges gesehen, und halte ich aufrecht, dass durch dieselbe die Tendenz der Uteruswunde sich nach aussen divergent zu gestalten, am entschiedensten vorgebeugt wird und die Ränder der Wunde in eine Gleichgewichtslage versetzt werden, welche Zerrung ausschliesst.

Selbst breite Resection und breite Einfalzung ergaben in den Leopold'schen Fällen günstige Resultate (drei Fälle, drei Heilungen). Aber auch die anderen Methoden der Vorbereitung zur Naht, welche ich gern erproben und erprobt sehen möchte, namentlich die höchst einfache Umbiegungsnaht, werden sicher, wofern nur die Naht selbst den rationellen Anforderungen entspricht, gleichfalls gute Erfolge ergeben, und kommt es dann doch wieder darauf hinaus, dass die Uterusnaht die Hauptsache ist, gleichviel wie man auch die Uteruswunde zurüste.

Darum möchte ich auch nochmals die beiden allgemeinen Haupterfordernisse für die rationelle Wundnaht des Uterus speciell hervorheben:

1) Möglichst dichtes Legen der Nähte.
2) Freilassen der Decidua.

Was den ersten Punkt anlangt, so dürfte — bei vorderem mittleren Medianschnitt — mein letzter Kaiserschnittsfall mit im Ganzen 28 Suturen die höchste Zahl aufweisen, welche je eingelegt worden ist. Eine Sutur stützt hier die andere, alle stützen sich gegenseitig: keine Volumenschwankung des Uterus ist im Stande — wenn Infection ausgeschlossen — die Nähte zu sprengen oder zum Durchschneiden zu bringen, da die Wunde mit der letzten Sutur als ausgeglichen, wie nicht mehr vorhanden anzusehen ist. — Bei Lineärnaht des Peritoneum bietet recht dichte Gesammtnaht die einzige Sicherheit des Gelingens. In Bezug auf den zweiten Punkt, so ist die Decidua des frisch entbundenen Kaiserschnitt-Uterus mehr ein histologischer Begriff als eine für die Naht in Betracht kommende Gewebslage: Nicht-Mitfassen der Decidua soll heissen Nicht-Durchführen der Suturen durch die freie Uterinhöhle, damit die Lochien nicht durch die Stichkanäle einzudringen und Uterus- und Bauchhöhle durch dieselbe mit einander zu communiciren vermögen.

Ich betone diesen Punkt auch deshalb, weil Fehling auf der Naturforscherversammlung in Magdeburg ein Spirituspräparat eines Uterus puerperalis demonstrirte, welches zeigen sollte, wie er in seinem Falle von Sectio caesarea ante mortem genäht habe: die Suturen (dicke Seide) gingen frei durch die Uterinhöhle. Da Fehling in seinem später erschienenen klinischen Vortrage von dieser „Modification" nichts erwähnte, so nehme ich an, dass er davon zurückgekommen ist.

Nahtmaterial. Die Unschädlichkeit aseptischen Nahtmateriales schwer oder gar nicht resorbirbarer Art ist noch immer nicht genug in Fleisch und Blut der Aerzte übergegangen. Ich bin sehr oft bei der Frage nach dem Nähmateriale für die Uteruswunde bei der Antwort „Silber und Seide" erstaunten Blicken begegnet, sowie den weiteren Fragen: „was wird aus den Silbersuturen, werden sie entfernt und wie?" Nun, die Silbersuturen brauchen eben nicht entfernt zu werden, es sei denn, dass, wie in dem Falle von Lungren, ein wiederholter Kaiserschnitt dazu Gelegenheit bietet. Sie werden in der Uteruswand verbogen, lockern sich wohl auch, heilen aber vollständig und ohne Reaction ein, wenn der Verlauf sich als ein ganz aseptischer gestaltet. Sonst können sie auch durch unschädliche Eiterung ausgestossen werden, wie in drei Fällen Leopold's. Sind die vorragenden Spitzen umgebogen worden, so kann kein Nachbarorgan irgend gereizt werden. Die Seidenfäden werden nach längerer Zeit völlig resorbirt.

Gleichwohl glaube ich, dass Silber durchweg durch Seide ersetzt werden könnte, obwohl erfahrungsgemäss durch dasselbe die besten Resultate erzielt worden sind.

Noch keine Veranlassung liegt aber vor, Silber und Seide ganz durch das Catgut, welches sich als das unzuverlässigste Nahtmaterial für den Kaiserschnitt-Uterus herausgestellt hat, zu ersetzen, so wesentlich auch die Verbesserungen in der Zurüstung desselben geworden sind. Für eine Wiederaufnahme der Versuche mit Catgut, welches Schröder jetzt mit Vorliebe zu seiner Etagennaht bei der Amputatio uteri supravaginalis verwendet, empfiehlt es sich aber gewiss, vorerst Silber und Seide für die tiefen Nähte beizubehalten und nur für die oberflächlichen Catgut zu wählen.

Jedenfalls ist es jetzt noch nicht angebracht, wo die Zahl der Fälle mit rationeller Uterusnaht noch so gering ist, die Resultate durch ausschliessliche Verwendung des Catgut auf das Spiel zu setzen.

Es ist nun ganz naheliegend, zu fragen, ob die genähte Uteruswunde so fest und vollständig zusammenheilen werde, dass sie bei einer folgenden Schwangerschaft und Geburt nicht wieder aufgehe. Zweifel daran sind von Verschiedenen, besonders von P. Müller, geäussert worden. Die grosse Anzahl von Fällen wiederholter Sectio caesarea aus der Zeit, wo es noch gar keine Uteruswundbehandlung gab, zeigt allein schon, dass die Uterusnarben, deren Beschaffenheit ich in meiner Monographie eingehend geschildert habe, eher eine überraschende Widerstandsfähigkeit besitzen mussten. In den verhältnissmässig wenigen Fällen von zerrissenen Uterusnarben bei einer späteren Geburt hat es sich bestimmt öfters um solche Geburtsstörungen gehandelt, welche auch zu Ruptur des unverletzten Uterus führen. Ist es doch vorgekommen, dass die Uterusnarbe hielt und der Riss an einer anderen Stelle auftrat.

In den Fällen von verbessertem conservativen Kaiserschnitte, die zur Autopsie kamen, fand sich ausnahmslos frische, primäre Verklebung der Uteruswunde in ganzer Ausdehnung oder mit unbedeutenden, doch auch hier nie die Serosa durchbrechenden Lücken, und zwar selbst bei Vorhandensein septischer Peritonitis! Angesichts dieser Befunde dürfen wir doch wohl sicher annehmen, dass es nicht blos zu einer prima intentio kommt, sondern zu einer völligen Herstellung der organischen Continuität des durchtrennt gewesenen Gewebes, oder zu einer höchstens lineären Narbe. Die von mir auf der Naturforscherversammlung in Eisenach bereits erwähnten anatomischen Untersuchungen über Involutio uteri puerperalis, welche jetzt zum Abschlusse gebracht worden sind, haben ergeben, dass der puerperale Uterus nicht nur kein dem Untergange gewihtes Organ darstellt, sondern dass

die cellularen Lebensvorgänge in ihm durch nur partielle Ver-
fettung der Muskelfasern nicht alterirt werden, so dass auch eine
Regeneration derselben ebenso stattfinden kann wie an anderen
Geweben.

Mehr lässt sich zur Zeit nicht sagen, da von den die neue
Operation Ueberlebenden glücklicherweise noch keine gestorben
ist, um ein geeignetes Untersuchungspräparat zu liefern, da ferner
noch keine derselben abermals schwanger wurde. Doch darf zu-
versichtlich gehofft werden, dass die Uterusnaht auch diese Dauer-
probe gut bestehen werde.

7) Nach Vollendung der Uterusnaht lässt sich die längere
Zeit ausserhalb der Bauchhöhle gebliebene Gebärmutter, welche
währenddess frei der Luft ausgesetzt oder von carbolisirten Mullservietten bedeckt war, mit starken Desinficientien — wir wählten
Sublimatlösung 1 : 1000 — so gründlich desinficiren, wie
es innerhalb der Bauchhöhle nicht möglich wäre. Nachdem
dies geschehen und die Nahtlinie jodoformirt worden ist,
wird ohne Toilette der Bauchhöhle, von welcher Blut und
Fruchtwasser leicht abgehalten werden kann, und ohne Drainage zur völligen Schliessung der Bauchwunde geschritten, wofür Seide als Nähmaterial am geeignetsten ist.

In Zukunft würde ich keinen Polsterverband mehr anlegen, sondern nur einen dünnen Heftpflasterverband, welcher die Controle des Uterus nicht hindert. In meinem Falle
hatte der, allerdings sehr feste, Polsterverband, welcher freilich
ein Emporsteigen des Uterus verhindern kann, eine vorüber-
gehende Sympathicusparese und Darmlähmung (Meteorismus, Em-
pordrängung des Zwerchfelles, Steigerung der Pulszahl) bewirkt,
welche zwar unschädlich ist, prognostisch aber sehr irreführen
kann.

Bei Anlegung eines Heftpflasterverbandes, für welchen sich
auch Olshausen (Eisenacher Naturforscherversammlung) aus-
sprach, muss die Ueberwachung des Uterus dann allerdings durch
die sachverständigere Hand des Arztes geschehen. Jede stärkere
Massage des Uterus wird zu vermeiden sein. Dieser durch die
intensivsten Reize, welche sich denken lassen, zu fester Contraction gebracht, wird gewiss selten Neigung zu Atonie darbieten.
So lange solche vorhanden sein sollte, soll man den Uterus lieber
nicht in die Bauchhöhle versenken.

8) Die Nachbehandlung combinirt sich aus der gewöhn-

lichen Obsorge für eine Wöchnerin und aus der üblichen Pflege einer Laparatomirten. Bei aseptischem Verlaufe sind vaginale Ausspülungen ganz überflüssig, womöglich schädlich. Ueberhaupt soll so wenig activ als nur angänglich verfahren werden. Ist der Verlauf günstig, so unterscheidet sich die durch Kaiserschnitt Entbundene erstaunlich wenig von einer physiologischen Puerpera.

Kann dies auch von einer nach Porro Operirten gesagt werden? Eine solche muss sich bei sonst auch noch so ungestörtem Verlaufe verhalten gleich einer an supravaginaler Amputation des Uterus Operirten. Nicht anders.

Kaiserschnitt und Kraniotomie.

> „Parce matri et proli, si parcere possis!"
> (*Berruti.*)

Trotz der hochgradigen Beckenverengung, wie sie bei Combination stärkerer Grade von Allgemeinverengerung mit Abplattung auch in meinem Falle bestand, hätte die Trägerin gleichwohl durch die Kraniotomie noch entbunden werden können, und zwar ohne Zuhülfenahme solcher Zerstückelungsoperationen, wie sie von Rob. Barnes und Pajot angegeben wurden, in die deutsche Geburtshülfe aber keinen Eingang fanden, und jetzt nach erreichter Besserung der Prognose des Kaiserschnittes auch nicht finden werden. Der Fall stand in der Mitte zwischen absoluter und relativer Indication zum Kaiserschnitt und ist bei dem Obwalten der denkbar günstigsten Verhältnisse dem letzteren unterworfen worden, trotzdem die Kraniotomie noch wohl ausführbar erschien.

Ein zwei Tage nach der Operation in der Klinik vorgekommener Fall von Kraniotomie bei intra partum abgestorbener Frucht bot Gelegenheit, zwischen den beiden schwersten Entbindungsarten Vergleiche anzustellen. Sowohl der Geburtsverlauf, besonders in Hinsicht der zu ertragenden Schmerzen und Beschwerden, wie das Wochenbett, waren trotz technisch correcter Behandlung und günstigem Ausgange erheblich schwerer als bei der durch Kaiserschnitt Entbundenen.

Publicum und zum Theil selbst Aerzte sind noch ganz in der früher wohl berechtigten Anschauung befangen, dass der

Kaiserschnitt die furchtbarste der Operationen sei: und doch
kann eine schwere Zangenextraction, eine Kraniotomie mit un-
geeigneten Instrumenten eine viel gräulichere Operation sein,
wobei die Gebärende weit mehr auszustehen hat, im Wochenbett
schwerer daran ist, als selbst nach einem primitiv ausgeführten
Kaiserschnitt ohne Narkose. Welch ein Unterschied besteht aber
heutzutage zwischen einem solchen und einem unter Heranziehung
aller modernen technischen Hülfsmittel vorgenommenen Kaiserschnitt?! In der Zeit, wo der primitive Kaiserschnitt, wie
Zweifel es ausdrückte, „fast einem sicheren Todesurtheil gleich-
kam", konnte er nichts anderes sein, denn die ultima ratio geburtshülflichen Handelns, und ihn zu fordern, wo die Mutter
mit Aufopferung des kindlichen Lebens durch seine Umgehung
erhalten werden konnte, erschien als grausam und ungerechtfer-
tigt. Und doch musste das geburtshülfliche Ideal „parcere matri
et proli" schon zu einer Zeit zum Handeln drängen, wo zur Ver-
wirklichung jenes noch alles fehlte, um den Eingriff mehr denn
als ein gefährliches und leichtfertiges Wagniss erscheinen zu
lassen. Damals schon ist es oft geschehen, gerade die sich be-
rührenden und doch so sehr abstossenden Operationen der Kraniotomie und der Sectio caesarea nach Indicationen, Ausführung,
Resultaten mit einander zu vergleichen, so misslich es auch war,
technisch so sehr verschiedene Operationen, deren tertium com-
parationis nur in der gleichen Aufgabe des Entbindens lag, überhaupt einander gegenüber zu stellen. Das Ergebniss war denn
auch immer dasselbe: die Embryotomie rettete auf Kosten des
kindlichen Lebens unter allen Umständen mehr Mütter als der
Kaiserschnitt bei Erhaltung desselben, und die an der Embryotomie zu Grunde gegangenen Mütter wären es aller Wahrschein-
lichkeit nach auch am Kaiserschnitte. Diejenigen, welche empha-
tisch die Gleichwerthigkeit des kindlichen Lebens mit dem mütterlichen predigten und theoretisch den Vorzug des Kaiserschnittes
priesen, zögerten in praxi keinen Augenblick, die Embryotomie
zu machen, nur dass sie vielleicht warteten, bis das Kind abgestorben war, oder an die Operation gingen in der Voraussetzung,
dass es todt sei. Man musste fühlen, dass, wenn die Kraniotomie durch den Kaiserschnitt zu ersetzen sei, es nicht eher geschehen könne, als bis dieser eine gewisse Garantie für sichere
Erhaltung des mütterlichen Lebens bieten könne, und nur, wer
überzeugt wäre, den Kaiserschnitt unter gewissen Bedingungen
lebenssicher ausführen zu können, würde gegen die Kraniotomie

bei lebendem Kinde auftreten dürfen. So ist z. B. von den an sich lobenswerthen Bestrebungen zu Gunsten des Kaiserschnittes gegenüber der Kraniotomie und der Porro-Operation von Eustache (Lille)[1]), welcher auf den internationalen medicinischen Congressen zu London und Kopenhagen auf das Thema bezügliche Vorträge hielt, nur zu sagen, dass sie sich nicht über das Niveau der alten, oft gehörten Argumentationen erheben, dass die darin verwerthete Statistik lückenhaft und beweisunfähig ist. Wie der Kaiserschnitt vorzüglicher zu gestalten sei, darüber bringt Eustache nichts Neues, nichts Positives[2]); denn mit den Schlagworten „Antisepsis" und „Uterusnaht", wenn nicht zugleich das Wie gesagt wird, ist nichts ausgerichtet.

Die Controverse über die Frage, ob die Kraniotomie des lebenden Kindes zulässig sei oder nicht, ist jüngst wieder ein Mal von zwei amerikanischen Fachgenossen, Busey[3]) und Jaggard[4]), in scharfer Polemik erörtert worden: Busey ist gegen, Jaggard für die Zulässigkeit, indem er die Argumente jenes für „quixotic" erklärt. Busey's Abhandlung ist oratorisch ein Meisterwerk, sachlich aber allerdings ein ganz unglückliches Erzeugniss, indem es einestheils das Anti-Ethische der Kraniotomie in der übertriebensten Weise darstellt, andererseits nach älteren

1) Vergl. Parallèle entre l'opération césarienne et l'opération de Porro: L'Union médicale 1884, Nr. 136. Ausserdem die betreffenden Verhandlungsberichte.

2) So recht bezeichnend für die schönrednerische Art der Behandlung dieses Gegenstandes war eine Discussion in der Soc. de chir. de Paris, Sitzung vom 7. Mai und 14. Juni 1882 (Bull. de thér. etc. 1882, 30. Juni, 12. Livr.). Guéniot sagte anknüpfend an die Schwierigkeit der Kephalothrypsie bei einer Conjugata vera unter 6 cm: „Quant à l'opération césarienne elle aurait peut-être beaucoup plus d'avenir (als die Porro-Operation) si l'on pouvait régler son manuel opératoire et se servir des méthodes antiseptiques dans les pansements. Elle donnerait, sans doute, des résultats analogues à ceux d'ovariotomie (!)"

Lucas-Championnière sagt u. A.: „Le manuel opératoire de l'opération césarienne n'est pas fait; lorsqu'on connaîtra mieux cette opération, elle pourra donner d'excellents résultats."

Was diese hoffnungsfreudigen Aeusserungen zu optimistisch, sind die unserer jüngeren Porro-Anhänger (Heilbrun, Menzel), welche den Kaiserschnitt für abgethan halten, zu pessimistisch!

3) Craniotomy upon the living fetus is not justifiable. Amer. journ. of obstetr. etc., Bd. XVII, Febr. 1884.

4) Is Craniotomy upon the living fetus a justifiable operation? Eod. loco, Nov. 1884.

und einseitigen Statistiken zweier Autoren, Tyler Smith und
Churchill, den unmöglichen Beweis zu erbringen sucht, die
Kraniotomie koste — das Leben der Mutter und des Kindes als
gleichwerthig gesetzt — mehr Menschenleben als die Sectio caesarea,
wobei auf die günstigen Resultate derselben bei frühzeitiger Operation, sowie auf die Porro-Operation in der Hand Einzelner
besonders aufmerksam gemacht wird. Jaggard hinwieder zeigt
gerade an älteren und den neueren Statistiken von C. v. Roki-
tansky, C. v. Braun, Spiegelberg, Wasseige, Bidder,
Merkel u. A., wie absolut überlegen für die Mütter, deren Leben stets dem der Kinder vorzusetzen sei, mehr und mehr die
Resultate der Kraniotomie geworden wären. Busey zählt als
kindeserhaltende Operationen auf: Wendung, Zange, künstliche
Frühgeburt, Symphysiotomie, Kaiserschnitt, Porro-Operation,
Gastro-Elytrotomie, Totalexstirpation des Uterus. Von diesen acht
Operationen streicht nun Jaggard sieben und lässt, indem er
aber dem Satze: „infans matricida, ni moriturus" (Tertullian)
den weiteren Spielraum einräumt, nur die Porro-Operation als
einzige Concurrenz der Kraniotomie bestehen!! Die „classische
Methode" komme nicht in Betracht, weil sie — Citat nach
C. Braun, Lehrbuch der gesammten Gynäkologie, 1881 —
66²/₃ Proc. Mortalität ergebe.

Das ist der schwächste Punkt der Jaggard'schen Ausfüh-
rungen. Unmöglich kann die Porro-Operation diejenige
Operation sein, zu Gunsten deren auf die Kraniotomie
des lebenden Kindes verzichtet wird. Auch Fehling, der
fünf Porro-Operationen gemacht hat, hält hier, bei der rela-
tiven Indication, die conservative Sectio caesarea und nicht die
Porro-Operation für angezeigt. P. Müller verwirft die Porro-
Operation für die relative Indication, aber ebenso auch den Kaiserschnitt. Porro[1]) selbst dagegen will seine Operation nur auf
die Fälle äusserster Beckenenge beschränkt wissen.

Die Operation, welche die Kraniotomie bei lebendem Kinde
zu verdrängen geeignet sein soll, muss folgenden drei Ansprüchen
genügen:

> Erhaltung der Mutter,
>   „   des Kindes,
>   „   der Genitalien.

Dies kann nur die dergestalt verbesserte Methode

---

1) Siehe Mangiagalli, l. c., S. 165.

des conservativen Kaiserschnittes leisten, welche, in Mitberücksichtigung der das günstige Gesammtresultat unabhängig von dem operativen Eingriffe als solchen in Frage stellenden Momente, lebenssicher genannt werden darf. Ist sie dies, dann entfällt auch jene peinliche Wahl zwischen der Tödtung des Kindes und einer Operation, deren Verantwortung bisher für so schwer galt, dass der Arzt nur ganz ausnahmsweise sie auf sich nahm. Vermag der Arzt eine gewisse Garantie zu bieten für den günstigen Ablauf der Operation mit demselben Rückhalt, wie er ihn auch machen muss, wenn er z. B. eine Ovariotomie unternimmt, dann steht er als der bestimmende Theil da, welcher mit gutem Gewissen zur Operation rathen und dem die Kreissende mit vollem Vertrauen folgen kann. Dann würde auch Credé's berühmte, von Spiegelberg, Jaggard u. A. citirte verneinende Antwort auf die Frage des Ehemannes, ob er als Geburtshelfer seine eigene Frau der Operation unterwerfen würde, in ihr Gegentheil verkehrt werden können.

Ist der Kaiserschnitt nun aber auch wirklich lebenssicher geworden? Ich stehe nicht einen Augenblick an dies zu bejahen unter folgenden Voraussetzungen:

1) bei Abwesenheit jeglicher puerperaler Infection;

2) bei frühzeitiger Vornahme;

3) bei antiseptischer Ausführung unter Einhaltung einer den anerkannten Principien folgenden Technik.

So klein die Zahl der Fälle ist, die unter diesen Voraussetzungen operirt worden sind, so sehr berechtigt ihr glatter Verlauf zu der Annahme, dass, was in einer geringen Zahl von Fällen erreicht wurde, ebenso in einer grossen erreicht werden müsse. Dass die frühzeitige Vornahme der Operation ganz allein schon die Prognose ganz ausserordentlich hebt, ist lange bekannt: R. Harris berechnete, dass das Heilungspercent solcher Fälle der amerikanischen Literatur 75 : 25 betrage. Für mich steht es fest, dass man die Zeit für gekommen erachten darf, wo die Kraniotomie bei lebendem Kinde im Princip durch die conservative Sectio caesarea zu ersetzen ist. Vom Princip bis zur Ausführung ist allerdings ein weiter Schritt. Vor die Nothwendigkeit des Handelns nach der einen oder anderen Richtung gestellt, wird mancher Arzt zögern und zagen, bis es — subjectiv oder objectiv

genommen — zu spät ist. Er wird absehen von der Operation
wegen Mangels an geeigneter Assistenz, wegen vermeintlicher oder
wirklicher Unmöglichkeit ihrer Durchführung aus dem und jenem
der zahlreichen „äusseren Gründe"; wegen des Widerstandes, den
er in Geltendmachung des Werthes und der Rechte des kindlichen
Lebens in der Armen- und poliklinischen Praxis meistens finden
wird u. s. w. Gerade dieser Umstand wird auch in der Folge
dafür sorgen, dass die Kraniotomie durch die Sectio caesarea
nicht allzusehr beeinträchtigt wird. Man hat gut die Unzuläng-
lichkeit des Urtheiles der Kreissenden und ihrer Angehörigen hervorheben: so lange die Entbindung nach Vorstellung des Arztes
noch durch Craniotomie geschehen kann und nicht durch Kaiserschnitt geschehen muss, wird in jenen Kreisen die Entscheidung
gewiss nicht für den letzteren lauten. Daher die 64 Proc. Kra-
niotomien bei lebendem Kinde der Merkel'schen (Leipziger)
Statistik, deren volle Berechtigung aus technischen Gründen, dem
sie beanstandenden Thorn gegenüber, Credé jüngst dargethan
hat. Wie sollte es anders sein? Es giebt ja nicht ein Mal ein
religiöses Gesetz, welches dem Vater wenigstens einen Theil der
Verantwortung für die Opferung des kindlichen Lebens aufbürd-
ete. Nach dem bekannten Satze der katholisch-theologischen
Facultät zu Paris: „si l'on ne peut tirer l'enfant sans le tuer,
on ne peut pas sans péché mortel le tirer" zielt nur auf den
Arzt und nicht auf den Vater, die Mutter, welche in die Tödtung des Kindes willigen. Jener Satz hätte durch ein einziges
Wörtchen erweitert werden sollen, es müsste heissen: „le laisser
tuer". In der realen Welt des Geburtshelfers müssen aber einfach alle ethischen und religiösen Rücksichten zurücktreten vor
der von ihm in erster Linie verlangten Garantie für das Leben
der Mutter. Es ist klar, dass diese nur aus der technischen Ver-
vollkommnung des Faches, aus derjenigen der geburtshülflichen
Operationen zu schöpfen ist, und ich halte eben dafür, dass jene
Garantie für den Kaiserschnitt unter den oben angeführten Bedingungen zur Zeit gegeben werden kann, so dass der Arzt verpflichtet ist, sie auch nachdrücklich hervorzuheben, nur mit der
Einschränkung, wie er sie bei viel geringeren Eingriffen, „um
sich zu decken", zu machen pflegt.

Dazu gehört dann freilich, dass Aerzte und Geburtshelfer
auch die operative Technik kennen und anzuwenden verstehen.
Hier müssen heutzutage ganz andere und höhere Forderungen
gestellt werden als ehedem, wo zur Vornahme des Kaiserschnittes

kaum mehr gehörte, als ein scharfes Messer. Daher wird es noch lange währen, bis die Technik des Kaiserschnittes, sowohl die des conservativen wie des radicalen, Gemeingut der Aerzte, namentlich auf dem Lande, geworden ist. Die zu entbindenden Frauen, von denen der mit der Technik nicht vertraute Arzt weiss, dass sie „Kaiserschnittfälle" sind, kann er ja den Kliniken überweisen, so gut wie er dies mit Frauen, die an Unterleibsgeschwülsten leiden, thut. Bei Kreissenden freilich würde dies nur angänglich sein, wenn sie nahe einer Klinik wohnen.

Warum sollte aber nicht jeder mit der Wissenschaft fortschreitende Arzt, namentlich der jüngeren Generation, die Technik sich zu eigen machen können? Sie ist für den conservativen Kaiserschnitt schon deshalb, weil man im vornherein genau weiss, womit man es zu thun hat, nicht im mindesten schwierig, in dem Sinne einer etwa nöthigen ganz speciellen Vorbildung, wie sie ein Laparatomien unternehmender Gynäkolog von Fach nöthig hat. Ihr Hauptstück, die rationelle Wundnaht des Uterus, ist leicht zu lernen und leicht auszuführen; kein Instrument ist erforderlich, was der praktische Arzt nicht besässe: kann sein, dass Jemandem bei der Lectüre der Beschreibung des Verfahrens dasselbe complicirt vorkommt, bei Demonstration desselben ist dies, wie mir oft versichert wurde, nicht der Fall. Ich zeigte die Nahtmethoden sehr oft an der Leiche und an Spirituspräparaten. Letzteres kann an jeder Klinik geschehen und jede Klinik kann ebenso wie zur Kraniotomie und Embryotomie auch Anleitung zur Vornahme des verbesserten conservativen Kaiserschnittes geben. Dass die Technik der Porro-Operation, welche dem Kaiserschnitte die Amputation des Uterus und der Ovarien hinzufügt und eine complicirte Versorgung des Stumpfes benöthigt, leichter sein soll, als die Technik des blossen Kaiserschnittes (P. Müller, Fehling) ist eine Behauptung, die wohl nicht nochmals ausführlich widerlegt zu werden braucht. Die Einfachheit der Nachbehandlung nach conservativem Kaiserschnitte gegenüber derjenigen bei Porro-Operation bedarf keiner besonderen Hervorhebung.

Weil von den Discreditoren des verbesserten Kaiserschnittes die Schwierigkeit seiner Technik besonders hervorgehoben wird, so will ich zur Entkräftung dieser Behauptung hier noch ein Mal mit Beiseitelassung wissenschaftlicher Details eine kurze praktische Methodik desselben bringen.

I. Zur Operation erforderliche Utensilien und Instrumente:

1) Rasirmesser, Seife, Bürste. — Mehrere Liter Carbol- (5 %) und Sublimatlösung (1 °/₀₀). Aether. 4 Wundschwämme, 2 Bauchschwämme, 6 Mullservietten. 10,0 Jodoform; 1 Paquet Jodoformgaze; 1 Paquet Salicylwatte; Heftpflaster.

2) Chloroformapparat. Morphium, Kampfer, Aether, Ergotin zur subcutanen Injection.

3) 1 Scalpell, 1 geknöpftes Messer, 1 Hohlsonde, 2 Hakenpincetten, 6 Pinces hémostatiques, 1 gerade und 1 Cooper'sche Scheere, Nadelhalter, gebogene und gerade Nadeln, Silberdraht, antiseptische Seide (in zwei Stärken), 1 Meter Gummischlauch (von 0,5 cm Lumendurchmesser).

II. Die einzelnen Stadien der Operation.

1) Vorbereitungen.

Entleerung der Blase. Rasiren der Pubes und Nates. Desinfection des Bauches, der äusseren Genitalien, der Scheide, des Collum.

2) Bauchschnitt in der Linea alba, ca. 16 cm lang.

Wenn median eingeschnitten, kommen Muskeln nicht zu Gesicht. Ueber Bemessung des Schnittes siehe S. 27.

3) Einlegung von drei Suturen durch die Bauchdecken.

Bestimmt zum schnellen Zusammenziehen der Bauchdecken hinter dem eventrirten Uterus, später zur Schliessung der Bauchwunde.

4) Medianstellung des Uterus. Geraderichtung der Frucht.

Uterus häufig dextroponirt mit der linken Seitenkante nach vorn gedreht. Häufig Schräglage der Frucht.

5) Uterusschnitt als vorderer mittlerer Medianschnitt
  a) in situ, oder
  b) nach Herauswälzung aus der Bauchhöhle (P. Müller) nur bei abgestorbener Frucht, Zersetzung des Eies. (Tiefer Querschnitt nur bei hochgradiger Cervix-Uterusdehnung.)

Unter Anpressen der Bauchdecken an den Uterus, zugleich mit Schwämmen zur Aufsaugung des Blutes.

6) Entwickelung des Kindes.

7) Allmälige Eventration des Uterus.

Womöglich mit Kopf voran.

Einlegung eines Bauchschwammes (oder einer Mullserviette) hinter dem Uterus, Anziehen der Bauchdeckensuturen: Torquiren der Fäden, Sicherung durch Schieberpincette.

8) Lagerung des Uterus auf Mullservietten.

9) Umlegen des Gummischlauches, Schliessung an der Kreuzungsstelle durch einen Koeberlé.

10) Abwarten der spontanen Placentarlösung oder manuelle Lösung derselben und der Eihäute.

Eventuell jetzt auch mannelle Compression des unteren Uterinsegmentes und des Collum.

Prüfung der Durchgängigkeit des Orificium internum.

11) Einreiben von Jodoform in die Uterushöhle und Cervix.

Eventuell Auswischen der Uterushöhle mit Carbol- oder Sublimatlösung; Durchspülung von oben durch Collum und Scheide.

12) Naht.

a) Vorbereitung: Unterminirung bis in eine Tiefe von 0,5 cm beiderseits. Resection von 0,2 cm Muscularis beiderseits.

Ueber die Variationen der Vorbereitung zur Naht s. S. 52. Besonders zur Berücksichtigung empfohlen sei die einfache Umbiegung der eingeritzten Serosae statt der Resection.

b) Anlegung der Nähte: tiefe sero-musculäre, 8—10 (Silber); oberflächliche sero-seröse, 20—25 (Seide).

Vermeidung der Decidua. Umbiegung der Silberdrahtenden. Doppelte Durchstechung je eines Wundrandes, geringe Einfalzung der Serosae.

13) Abnahme des Gummischlauches. Reinigung des Uterus. Jodoformirung der Nahtlinie. Versenkung in die Bauchhöhle,

Eventuell Nachlegung von Suturen durch blutende Stellen.

in Anteversionsstellung, so dass zwischen Uterus und Bauchwand keine Darmschlingen eindringen können.

14) Naht der Bauchwunde. Jodoformirung der Nahtlinie. Jodoformgaze — Watte — Heftpflasterverband.

15) Nachbehandlung möglichst einfach und wenig activ.

Event. sogleich Eisblase auf den Leib.

Keine Ausspülungen, so lange Puls und Temperatur normal, so lange keine Lochialretention. In den ersten Tagen öfter Tinctura Opii und Eisblase auf den Leib.

Wer auch das noch complicirt findet, dem ist einfach zu erwidern, dass die Zeit, wo der Kaiserschnitt kaum in etwas anderem bestand, als in rascher Eröffnung der Bauch- und Uterushöhle, Entbindung und nothdürftiger Schliessung nur der ersteren, dass diese Zeit vorüber ist: der Kaiserschnitt, als die „geburtshülfliche Laparatomie", muss heute mit allen Fortschritten der Technik rechnen, wie jede andere Laparatomie.

Die Gegner des conservativen Kaiserschnittes, speciell nach meiner Methode, würden es sich wohl nicht nehmen lassen darauf hinzuweisen, dass dieselbe angesichts meiner Vertheidigungen, angesichts meiner neuen Versuche und Vorschläge nicht als abgeschlossen gelten könne und man jetzt erst recht nicht wisse, welches Verfahren man wählen solle.

Ich will daher hier am Schlusse nochmals folgende zwei Punkte hervorheben:

1) Es sind lediglich die Vorbereitungen zur Uterusnaht, welche verschieden getroffen werden können.

Ich selbst werde in Zukunft nur zwischen den beiden Methoden der Resection der Muscularis und Umbiegung der Serosa wählen.

2) Die eigentliche Uterusnaht bleibt und blieb im Wesentlichen sich stets gleich.

Auch deshalb mache ich diese Schlussbemerkung, damit zukünftige Operateure bei dem Paradigma bleiben mögen, um sich nicht in kleine und kleinliche Modificationen zu verlieren, welche das Princip unangetastet lassen, aber die Einheitlichkeit des in sich geschlossenen Verfahrens beeinträchtigen.

Ausser den zehn Fällen nachfolgender „Uebersicht" sind in den Vereinigten Staaten noch einige weitere zur Operation gekommen, über welche mir soeben Robert P. Harris brieflich Mittheilung gemacht hat. So sehr ich diesem rastlosen Kaiserschnittsforscher dafür dankbar bin, muss ich doch bedauern, dass seine kurzen Angaben mich nicht in den Stand setzen, diese Fälle mitzuregistriren. Er schreibt, meine Methode sei bei „mehreren" Fällen in modificirter Weise angewandt worden, leider zu spät, um die Mutter zu retten. In keinem dieser Fälle wurde ein Austreten von Flüssigkeit (aus dem Cavum uteri) in die Bauchhöhle gefunden. Eine Resection der Muscularis uteri wurde nicht vorgenommen, sondern nur das Peritoneum eingefalzt „nach einer Modification der Gély'schen Naht", so dass es nach innen einen saumartigen Vorsprung bildete. In einem weiteren Falle,

der günstig endete,· wurde zur Schliessung des peritonealen An-
theiles der Uteruswunde die fortlaufende Naht angewandt.

Diese „Modification der Gély'schen Naht" ist der Zeichnung
nach nichts anderes, als die auch von mir geübte doppelte Durchstechung der Serosae je eines Wundrandes., somit eine Modification, die ich selbst getroffen habe. (Siehe Seite 19, 20, 50.)

Fassen wir die 10 registrirten Kaiserschnittsfälle hinsichtlich ihrer Resultate näher ins Auge, so stehen 6 Heilungen
der Mutter 4 Todesfällen gegenüber; 9 Kinder wurden lebend
geboren, 1 war vor der Operation abgestorben. Was die Todes-
fälle anlangt, so waren in Fall 2 und 3 neben den die Vornahme der Operation erheischenden Zuständen so schwere ander-
weitige Erkrankungen vorhanden, dass diese allein die Ursache
des Todes abgaben, wobei der Kaiserschnitt höchstens ein diesen
beschleunigendes Moment darstellt. In Fall 7 erfolgte der Tod,
bedingt durch irgend eine Lücke in der Antisepsis gleichwie
bei beliebigen Laparatomien anderer Art, an septischer Peritonitis:
jedoch betraf die Operation ausserdem eine herabgekommene,
durch ein schweres Geschwulstleiden und lange Geburtsdauer ge-
schwächte Person. In Fall 9 kam die Gebärende septisch inficirt
zur Operation.

In keinem dieser 4 Fälle kann somit der Kaiserschnitt als
solcher für den Eintritt des Todes verantwortlich gemacht werden; in keinem erfolgte weder Blutung noch Austritt von Lochien
in die Bauchhöhle. Selbst in den Fällen von septischer Peritonitis
und partieller Gangrän des Uterus wurde die Uteruswunde geschlossen gefunden. Kann ein stringenterer Beweis für die absolute Sicherheit des Nahtverschlusses derselben gedacht werden?

Procentuarisch betrüge die Mortalität der bisher nach meiner
Methode operirten 10 Kaiserschnittfälle 40 Proc., gegen 56,57
Proc. der Porro-Operation. Entnimmt man aber zu einem pas-
senderen Vergleiche der Hauptliste von Godson die ersten
10 Fälle von Porro-Operation, so zeigt sich, dass von diesen
7 gestorben sind = 70 Proc. Nenne man es Zufall oder nicht:
von den 10 letzten also jüngsten Fällen der Nachtragsliste von
Godson sind genau ebenso viel gestorben, 70 Proc.! Man mag
auch gegen diese kleine Statistik einwenden, was man gegen solche
einzuwenden pflegt: die Geltung eines Beweisstückes für diejenige
Sache, wofür sie sprechen soll, kann man ihr nicht versagen.

Uebersicht der nach meiner Methode und deren

		Indication	Geburtsdauer bis zur Operation	Befinden der Frau zur Zeit der Operation	Operationsverfahren
„Fall."	29 jähr. II p.	Allgemein verengtes rachitisches Becken von abgestumpfter Kartenherzform. Conjugata vera circa 6 cm.	circa 12 Stunden.	Günstig.	Unterminirung der Serosa Resection d. Muscularis. 8 tiefe Silber-, 12 oberflächliche Seidensuturen.
eumer	41 jähr. VI p.	Fibro-Myoma retrocervicale.	Mehrere Tage leichte Wehen.	Ungünstig, hochfiebernd.	Unterminirung der Serosa. Resection d. Muscularis. 7 tiefe Suturen (engl. Angelschnur), oberflächliche Suturen.
	30 jähr. I p.	Beckenenge (Lumbo-sacralkyphotisches Becken. Caries der drei unteren Lendenwirbel u. des Kreuzbeins. Synostosis sacro-iliaca sinistra).	circa 10 Stunden. Blutung in der ersten Geburtsperiode.	Ungünstig. (Aeusserst elend und collabirt.)	12 tiefe Suturen durch die ganze Dicke der Uteruswand, 12 oberflächliche nur durch d. Peritoneum (Seide).
eopold	23 jähr. I p.	Allgemein verengtes platt-rachitisches Becken. Conjugata vera 6 cm.	8 Stunden.	Günstig.	Wie in Fall 1. 7 tief Silber-, 14 tiefe u. oberflächliche Seidensuturen.
eopold resden), . Fall.	30 jähr. II p.	Allgemein verengtes Becken. Conjugata vera 6 cm.	30 Stunden.	Günstig.	Wie in Fall 1. 5 tiefe Silber-, 15 tiefe u. oberflächliche Seidensuturen.
berg amburg).	37 jähr. I p.	Beckenenge. Conjugata vera 6 cm.	Muttermund fast verstrichen. Blase stehend.	Gut.	Unterminirung der Serosae, Resection. 10 tiefe Suturen mit starker, 17 oberflächlich mit feiner Seide.
rendor- (Geburtsfl. Klinik Spaeth, Wien).	29 jähr. IV p.	Grosses in die Bauch- u. Beckenhöhle gewuchertes Bauchfascienfibrom.	Circa 2 Tage.	Ungünstig.	„6—7 tiefe, die Uterusmucosa nicht mitfassende Seidenknopfnähte, — — — dazwischen eine grosse Anzahl oberflächlicher, das Peritoneum hauptsächlich fassender Seidenknopfnähte."

er operirten Kaiserschnittfälle.

	Zustand der Uterus-wunde bei der Section	Bemerkungen	Quelle
	—	Puls und Temperatur vom 9. Tage an normal. Das Bett verlassen am 19. Tage.	Dieses Archiv, Bd. XIX, 3.
Doppelseitige Pyelo-nephritis.	Geschlossen.	Vor der Operation Tem-peratur 38,7, Puls 84.	Dieses Archiv, Bd. XX, 3.
Erschöpfung: Herz-fehler, Ascites. Re-siduen von Pleuritis und Phthisis u. s .w.	Peritoneum u. äussere ³/₅ der Wunde per pri-mam geschlossen, das innere Drittel nach der Decidua zu nicht ver-einigt.	Frau schon vor der Ope-ration collabirt. Puls 124. (Siehe S. 7.)	Amer. journ. of obstetr. etc. 1883, Vol. XVI, S. 344.
		Verlauf durch ein extra-peritoneales Hämatom und parametritisches Exsudat complicirt. Nach ca. sechs Wochen Ausstossung eini-ger Silber- u. Seidensutu-ren durch d. Bauchdecken.	Dieses Archiv, Bd. XXIV, 3.
		Muthmassliche Nekrose im unteren Winkel d. Uterus-wunde. Bauchdeckenab-scess im Zusammenhange damit. Ausstossung eines Gewebsfetzens mit einem Seidenfaden nach 14 Tagen.	Ibid.
		Ueberstand leichte Perito-nitis, Phlegmasia alba cru-ris sinistri u. pleuritisches Exsudat. Jetzt vollkommen wohl.	Briefliche Mit-theilung.
Jauchig-eitrige Peri-tonitis.	Geschlossen!! Stich-öffnungen von eitrig-in-filtrirten Rändern um-geben u. s. w. Nekrose der Schnittwunde im Fundus zwischen den Nähten.	Der Uterusschnitt musste schräg vom Fundus nach der unteren Insertion der linksseitigen Adnexe ge-führt werden.	Dieses Archiv, Bd. XXVI, 1.

ni,

	21jähr. I p.	Allgemein ver- engtes u. rachit.- plattes Becken. Conjugata vera 6—6,5.	Einige Stun- den.	Günstig.	Unterminirung der Se- rosa auf 3—4 mm Tiefe, Resection der Muscu- laris in 1—2 mm Dicke. 8 tiefe Silber-, 20 ober- flächliche Seiden- suturen.	
pold	26jähr. II p.	Hochgradiges platt-rachitisches Becken. Conju- gata vera 6. Nar- bige Verengung u. Unnachgiebigkeit des Collum uteri.	22 Stunden.	Ungünstig (Fieber: Tem- peratur 38,5, Puls 120).	Unterminirung der Se- rosa (keine Resection). Tiefe Silber-, tiefe und oberflächliche Seiden- suturen unter Einfal- . zung der Serosae.	
pold sden),	23jähr. I p.	Hochgradige Beckenenge.	16 Stunden.	Gut.	6 tiefe Silber-, 6 tiefe Seiden-, 10 oberfläch- liche Seidennähte. Einfalzung der Serosae ohne Unterminirung u. ohne Resection.	L

nd.		Glatter, fieberloser Verlauf. Uterus nach 6½ Monaten normal und frei beweglich gefunden.	—
d.	Septische Peritonitis.	Vollkommen geschlossen!! Ränder der Wunde glatt und dicht aneinanderliegend. Uteruscavum normal.	„Peritonitis jedenfalls zurückzuführen auf die Zeit vor der Geburt. Das gequetschte, ödematöse und bei der Operation angeschnittene untere Uterinsegment wird der Ausgangspunkt der Infection gewesen sein."	Verhandl. d. gynäkol. Gesellsch. z. Dresden. Centralbl. f. Gynäk. 1885, Nr. 8 u. briefl. Mittheilung.
d.	—		„In der Convalescenz wurden aus dem unteren Wundwinkel einige Seidenfäden ausgestossen. Nach 5 Monaten wurden aus einer Fistel im unteren Wundwinkel noch die 6 Silberdrähte und 6 Seidennähte entfernt. Befinden vortrefflich. — Menses normal."	Briefliche Mittheilung.

Lightning Source UK Ltd.
Milton Keynes UK
UKHW021500030219
336610UK00006B/116/P